新潮文庫

村上朝日堂

村上春樹
安西水丸
著

目次

シティ・ウォーキン　11

本文イラスト 安西水丸

村上朝日堂

シティ・ウォーキン

アルバイトについて

僕《ぼく》が学生時代、というともう十年以上前のことになるけれど、平均的なアルバイトの時給はだいたい平均的な喫茶店のコーヒー代と同じだった。具体的に言うと六〇年代の終りごろで百五十円くらいである。たしかハイライトが八十円、少年マガジンが百円くらいだったと思う。

僕はアルバイトしてはレコードばかり買っていたから、一日半働けばLP一枚買えるな、と思って働いていた。

今はコーヒーが三百円に比べてアルバイトの時給五百円というあたりだから、相場は少し変ってきたようである。LPだって一日働けば二枚くらい買える。

数字だけで見ると、この十年間に我々の暮しは楽になったみたいである。しかし生活感覚からするとそんなに楽になったとは思えない。昔は主婦がパートに出るなんてこともそれほどなかったし、サラ金地獄もなかった。

数字というのは実に複雑である。だから総理府統計局なんてところはどうも信用できない。GNPも絶対に眉《まゆ》つばである。

そりゃGNPなんていうものが新宿西口広場にどんと置いてあって、さわりたい人は誰《だれ》でもさわってよろしいっていうんなら僕だって信用してもいいけど、でなきゃ実体のないものなんてとても信じられないよ。

そういう面では竹村健一とか田中角栄とかは実に偉いと思う。あの人たちは数字のそんないかがわしさをちゃんと知り抜いたうえで、その具合のいいところだけを選んで利用しているのだから。その程度の数字なら、まあ手帳一冊で足りるわけだ。

それはともかく学生時代にアルバイトして買ったレコードは今でもちゃんと覚えていて、一枚一枚大事に聴いている。なんだってそうだけど、数とか量の問題じゃなくて、要は質なんだよ、ということです。

そば屋のビール

五十六年の夏に都心から郊外に越してきていちばん困ったのは、昼間からぶらぶらしている人間がまったくいないことだった。人口の大半はサラリーマンで、そういう人々は朝早く出ていって夕方に帰ってくる。だから必然的に昼間の町には主婦しかいない。僕は原則として朝夕にしか仕事しないから、午後はそのへんをぶらぶらしていることになる。なんだかすごく変な気分である。近所の人々はすごく疑ぐり深い目で見るから、自分でも悪いことをしているような気分になってしまう。

町の多くの人々はどうも僕のことを学生だと思っているようである。このあいだ散歩していたらどこかのおばさんに「ねえ、下宿探してんの？」と声をかけられたし、タクシーの運転手には「勉強大変だろう」と訊《き》かれるし、貸しレコード屋では「学生証見せて下さい」と言われた。

年中ジーパンと運動靴《うんどうぐつ》で暮してるとはいえ、もう三十三なんだから、いくらなんでも学生はないだろうと思うのだけれど、町の人々にとっては昼間からぶらぶらしている人間はみんな学生に見えてしまうらしい。

都心ではそんなことは絶対になかった。青山通りを昼間散歩していると同じような人々によく出会ったものである。とくにイラストレーターの安西《あんざい》水丸《みずまる》さんには度々出会った。

「安西さん、何してんですか？」

「あ、いや、まあ、なんか、ちょっとね」

などといった具合である。安西さんという人は本当に暇なのか、それとも実は忙しいのだけれどそれが顔にでないのか、そのへんがまったくわからない人である。

とにかく都会にはわけのわからない人が多くて、そんな人々が昼間からぶらぶらしている。良いのか悪いのかよくわからないけれど、楽なことはまあ楽である。昼飯どきにそば屋でビールを頼んで変な顔をされないだけでもありがたい。そば屋で飲むビールって本当にうまいんだから。

三十年に一度

村上朝日堂

僕はヤクルト・スワローズのファンなのでよく神宮球場に行く。神宮というのはなかなか良い球場である。後楽園と違ってまわりを緑に囲まれているから、せかせかした日常と切り離されたという感じがして、ゆったりと野球見物ができる。

慣れないせいかもしれないが、後楽園球場はどうも落ちつかない。ヤクルトが優勝した年は大学野球のせいで神宮で日本シリーズができなくて、仕方なく後楽園で戦った。神宮でやれなかったのはかえすがえすも残念だったが、逆に言えば「巨人ザマァみろ」という感じで気分はよかった。後楽園の一塁側に入ったのはあとにも先にもこれっきりである。ヤクルトのファンとして言わせて頂くなら、一九七八年のシーズンほど気持の良いシーズンはなかった。

僕はその年、神宮球場から歩いて五分というところに住んでいたので、毎日のように野球見物に通っていた。日が暮れて照明灯がパッとついてタイコの音がドンドンと聞こえてくると、もう我慢できない。仕事なんか放り出して神宮通いである。

またあの年のヤクルトは実に小気味の良い試合をした。船田が巨人戦で打ったサヨナラホ

ームランとか、ヒルトンの一塁ヘッド・スライディングとか、優勝決定戦での松岡の神がかりのピッチングとか、後楽園の外野席最上段に打ち込んだマニュエルのホームランとか、今でもそんなシーンのひとつひとつをはっきり覚えていて、思い出すたびに感動がじわじわとよみがえる。

三十年に一度しか優勝しないチームを応援していると、たった一回の優勝でもするめをかむみたいに十年くらいは楽しめる。

ありがたいことです。

今年のヤクルトは不調でもうどうしようもないけど、まあ仕方ない。僕の願いは僕が生きているうちに——できれば西暦二〇〇〇年までに——もう一度ヤクルトが優勝してくれること、これだけです。

離婚について

最近どういうわけか離婚した知りあいとばかりたてつづけに出会った。

こういうのはわりに困る。つまり久しぶりに会う相手だと話すネタがあまりないから「仕事どう？」とか「今どこに住んでるの？」といったところから始めて、だいたい「奥さん元気？」というところまで行ってしまうのである。

これはとくに奥さんの動向を知りたいと思って訊《たず》ねているのではなく——他人の奥さんなんてまあどうでもいいのだ——ただの世間話というか、時候のあいさつのようなものである。だからこっちも「ああ、いや、まあぼちぼちね」といったこたえを期待している。

そういった時に「実は離婚しちゃってね」みたいなこと言われても、言う方も困るだろうけど、こっちだって困るのである。

僕は離婚に対して含むところは何ひとつないのだが、離婚の困るところはこちらがどう言えばいいのかまったくわからないという点にある。

結婚とか出産なら何はともあれ「良かったね」で間に合うし、葬式なら「大変だったね」で間に合う。

しかし離婚に対しては、こういう便利な言葉がない。別れて良かったのかもしれないし、そんなこと他人にはわからないのである。「すっきりしたでしょう?」というのもなんとなく無責任だし、「わあ、うらやましいなあ」というのは軽薄である。かといって深刻な顔で「それはどうも……」というのも場が暗くなっていけない。

仕方なくて「ああ、ほんと? ムムム……」という感じになってしまう。向うも向うで「そうなんだよ。ムムム……」という感じである。そういうのがここのところ三、四回つづいたものですっかり疲れてしまった。

これだけ世の中に離婚が増えてるんだから「冠婚葬祭マナー」なんて本に離婚の項が加わっても、いいんじゃないかと僕は考えている。

夏について

夏は大好きだ。太陽がガンガン照りつける夏の午後にショート・パンツ一枚でロックン・ロール聴きながらビールでも飲んでいると、ほんとに幸せだなあと思う。できることなら半年くらいつづいてほしい。三カ月そこそこで夏が終るというのは実に惜しい。

少し前にアーシュラ・K・ル＝グィンの「辺境の惑星」というSF小説を読んだ。これはすごく遠くにある惑星の話で、ここでは一年が地球時間になおすと約六十年かかる。つまり春が十五年、夏が十五年、秋が十五年、冬が十五年かかるのである。これはすごい。だからこの星には「春を二度見ることができるものは幸せである」ということわざがある。要するに長生きしてよかったということだ。

しかし長生きして冬を二度見ちゃったりすると、これはつらい。なぜならこの星の冬はおそろしく厳しく、暗いからである。

もし僕がこの星に生まれるとしたら、やはり夏のはじめがいい。少年期を暑い太陽の下で走りまわって過ごし、思春期・青年期を秋でしっとりと過ごし、壮・中年期を苛酷《かこく》な寒さと

ともに送り、春来て老人になる、というパターンである。

うまく長生きしてもう一度夏を迎えることができたら言うことはない。「お、どこかでビーチボーイズが聞こえるなあ」なんて感じで死ねるといいな、と思う。

シナトラの古い唄《うた》に「セプテンバー・ソング」というのがある。

「五月から九月まではすごく長いけれど、九月を過ぎると日も短かくなり、あたりも秋めいて、木々は紅葉する。もう時間は残り少ない」という意味の唄である。

こういうの聴いていると——すごく良い唄なんだけど——心が暗くなってる。やはり死ぬ時は夏、という感じで年を取りたい。

千倉について

僕《ぼく》は神戸育ちなので牛肉と海がとても好きだ。海の見えるレストランでステーキを食べていたりするとすごく幸せである。東京には海がないし（あれはあるうちに入らない）、牛肉も高い。残念である。

時々海が見たくなると湘南《しょうなん》か横浜に行くけれど、なにかどうもしっくりとこない。「わざわざ海を見にきました」という感じが先に立ってしまうからである。海の方にも「やあ、よくいらっしゃいました」という感じがある。

海というのはやはり近くに住んで、朝夕にその匂《にお》いをかいで暮さなければ本当のところはわからないんじゃないだろうか？　湘南や横浜の海は少しソフィスティケートされすぎていて、そのような「生活感覚としての海」が外来者には今ひとつ伝わってこないところがある。

僕が最近気に入っている海岸はというと、南房総である。とくに千倉《ちくら》が良い。風景というほどのものはないけれど、夏休みをのぞけば、平日は人なんて殆《ほとん》どいないし、なにしろ海自体にリアリティーがある。

ドバーッと波がやってきて、ゴワーッと波が引いていく。貝がらやらコンブやらが波打ち

際《ぎわ》に散乱している。海岸を散歩する犬も湘南に比べてどことなくけなげな感じがする。こういうところで寝転んでいると「海だなあ」という思いが心の底からフツフツと沸きあがってくる。

千倉という町は実は安西水丸さんの故郷である。「千倉に行って安西の知りあいですって言えば誰《だれ》でもお金貸してくれますから」と水丸さんは言う。絶対に嘘《うそ》だと思うんだけど、ひょっとしたら……というような気もしてくるくらいの小さな静かな町である。

千倉でいちばん立派な建物はKという出版社の所有する海の家である。僕は一度だけ「原稿を書きますから」と嘘をついてここに泊めてもらったことがある。

それはともかく、なかなか良いところです。

フェリー・ボート

前回千倉の話を書いたけど、その続き。

朝千倉を出て白浜《しらはま》まで歩く。けっこう距離はあるけど、のんびり歩くとなかなか楽しい。気のきいた喫茶店とかレストランなんてものはまるでない。延々と海がつづいているだけである。

昼ごろ白浜について寿司屋《すしや》に入る。海岸だから寿司がうまいと思うでしょ？　でもべつにうまくない。不思議だ。

白浜の海岸で一度鮫《さめ》を釣《つ》りあげた人を見た。一メートルちょっとのちゃんとした鮫である。僕は見ていて驚いたけど、釣った方の人はそれほどでもなくて、ルンルンという感じで頭を切り落とし、ずるずる内臓をひきずりだして身をおろし、クーラー・ケースかなにかに放り込んでいた。

太平洋というのは本当にすごい。もうヤコペッティーの世界だ。

白浜から館山《たてやま》まではバスに乗る。やる気があるのかないのかよくわからないようなバスだけど（千葉県の交通網ってだいたいそうだ）、とにかく館山まではつれてってくれる。

館山から浜金谷《はまかなや》まで国鉄に乗る。浜金谷からフェリー・ボートに乗る。このフェリーがすごく良い。大きすぎもしないし、小さすぎもしないし、値段も安い。

売店でハイネケン・ビールを三本買ってデッキで飲んでいるうちに東京湾を横切って三浦半島久《く》里《り》浜《はま》に着いてしまう。一時間くらいしかかからない。

千葉から神奈川に直接行くというのは、すごく奇妙なものである。こういうのってないよな、といつも思う。

千葉から神奈川に移動するにはやはり錦糸町《きんしちょう》→東京→品川→川崎という一連の儀式が必要であるような気がする。そういうのを抜かしてしまうと、喉《のど》から下がすぐヘソという感じだ。

カルチャー・ショックだなあ、と思いながら横浜に出てまたビールを飲む。

文章の書き方

将来ものを書いて生活したいと考えている若い人から時々「文章の勉強というのはどうすればいいんでしょうか？」という質問を受けることがある。僕なんかにきいても仕方ないんじゃないかと思うんだけど、とにかくまあそういうことがある。

文章を書くコツは文章を書かないことである――と言ってもわかりにくいだろうけど、要するに「書きすぎない」ということだ。

文章というのは「さあ書こう」と思ってなかなか書けるものではない。まず「何を書くか」という内容が必要だし、「どんな風に書くか」というスタイルが必要である。

でも若いうちから、自分にふさわしい内容やスタイルが発見できるかというと、これは天才でもないかぎりむずかしい。だからどこかから既成の内容やスタイルを借りてきて、適当にしのいでいくことになる。

既成のものというのは他人にも受け入れられやすいから、器用な人だとまわりから「お、うまいね」なんてけっこう言われたりする。本人もその気になる。もっとほめられようと思う――という風にして駄目《だめ》になった人を僕は何人も見てきた。たしかに文章というのは量を

書けば上手《うま》くなる。でも自分の中にきちんとした方向感覚がない限り、上手さの大半は「器用さ」で終ってしまう。

それではそんな方向感覚はどうすれば身につくか？　これはもう、文章云々《うんぬん》をべつにしてとにかく生きるということしかない。

どんな風に書くかというのは、どんな風に生きるかというのとだいたい同じだ。どんな風に女の子を口説《くど》くかとか、どんな風に喧嘩《けんか》するかとか、寿司屋に行って何を食べるかとか、そういうことです。

ひととおりそういうことをやってみて、「なんだ、これならべつに文章なんてわざわざ書く必要もないや」と思えばそれは最高にハッピーだし、「それでもまだ書きたい」と思えば——上手い下手《へた》は別にして——自分自身のきちんとした文章が書ける。

「先のこと」について

あたりまえのことだけど、先のことなんかわからない。絶対にわからない。わかるわけないのだ。

僕が子供の頃《ころ》のことだけど、ラジオを聴いていたら「私はエルビス・プレスリーとロックが大嫌《だいきら》いです。あんなもの早く消えてしまえばいい」という投書をアナウンサーが読みあげていた。

当時は一九五〇年代後半、エルビスの最盛期である。それに答えてアナウンサーは「そうですねえ、こういううるさいロックは、そんなに長くつづかないんじゃないでしょうか」と言っていた。

僕はまだ子供だったから「そうか、こういうロックはもうおしまいなのか」と素直に信じた。でもエルビスは生きのびたし、ローリング・ストーンズはもっとうるさい音楽を演奏して何千万ドルももうけた。

それからこれも同じころだけど、ある雑誌に「電子頭脳は将来一般的に普及するでしょうか？」という質問が載っていた。ノー、というのが答だった。何故《なぜ》なら「人間の頭脳に匹敵

する電子頭脳を作ろうとすれば丸ビルくらいの大きさになるし（古いなあ）、そんなものが一般に普及するわけはないから」である。

その時も僕は素直だったから、頭の中に丸ビルくらいの大きさの電子頭脳を思いうかべ、こりゃだめだと思った。でも今ではアタッシェケースにオフィス・コンピューターが収まる時代である。

それと同じようなことは、今までにいっぱいあった。僕はわりにしつこい性格だからそういうのをひとつひとつ克明に覚えている。だから今では大抵のことはまず信用しない。

いちばんヤバイのが専門家の話、その次にヤバイのがかっこいいキャッチ・フレーズである。このふたつはまず信用しない方がいい。僕もそういうのにはずいぶんだまされてきた。

小説についても同じだ。新しい小説とは何かなんてことを考える前にまず良い小説を書くこと。それが全《すべ》てである。

タクシー・ドライバー

ちょっと前のことだけど、青山でタクシーに乗ったら、車にとりつけられた小さなスピーカーから（カー・ステレオじゃない）わけのわからない民族音楽のようなものが流れていた。すごく変な感じだ。

運転手は三十代半ば、僕《ぼく》と同じか少し上くらいである。「これ、どこの音楽ですか？」ときいてみたら、「あててみて下さい」と言われた。あたったらタクシー代がただになるというようなこともないみたいだけど、面白《おもしろ》そうだから「アフガニスタン？」とあてずっぽうに言ってみた。

「惜しいなあ。イランですよ。すぐとなりなんだけどね」ということである。惜しいたって、イランとアフガニスタンの音楽の違いがわかるわけないのだ。

話してみると彼は民族音楽のファンであるらしく、だいたいいつもいろんな国の音楽を流しながら車を運転しているそうだ。

「それ以外に聴くべき音楽がないんだよね。ジャズやロックつったって、みんな商業主義でちゃらちゃらしてて、生命感ってものがないしさ」

なかなかシビアである。

「でも昨日乗ったお客なんて、ちゃんとスーダンの××地方の音楽ってあてたよ。俺《おれ》も驚いちゃったけどさ」

僕だって驚く。

世の中にはすごい人がいるものだ。

日本関係では沖縄の音楽とお経しかかけないそうである。

「でもお経なんかかけてると嫌《いや》がる人いない？」

「いるねえ。半分くらい降りちゃうかなあ。とくに接待中のサラリーマンなんか絶対降りるよ」

こういう話を聞いているとなかなか東京もワイルドになってきたなあという感じがする。もう一歩で、「タクシー・ドライバー」の世界だ。

報酬について

僕《ぼく》は二十代の前半から八年くらいジャズ喫茶を経営していて、けっこうたくさんのアルバイトの人たちを使った。だいたいが学生だから、はじめのころは殆《ほとん》ど僕と年齢差がなく、終りごろにはひとまわりくらいの差があった。うちの店はかなりアルバイトの定着率の高い方だったから、一人一人のことはわりによく覚えている。まあいろんな人がいる。

経験的にみて絶対に雇ってはいけないタイプというのがいくつかある。「ただでもいいから働かせて下さい」というタイプもそのひとつである。そんなのいるわけないじゃないか、と思うでしょ？　でもちゃんといるんだよね、これが。例えば「将来お店をやりたいんで給料いらないから働かせて」とか「どうしてもここでバイトしたいので」とかいう人が毎年一人くらいはくる。でもまさか無給で働かせるわけにもいかないので、ちゃんと人なみの給料は払う。

さて、こういう人がきちんとした良い仕事をするかというと、だいたい逆である。仕事は手を抜く、不平を言う、休む、遅刻する、あげくの果てには「給料が安い」なんて言いだす。そりゃあないよな、と僕なんか思っちゃうんだけど、「給料はいらない」なんて非現実的な

ことを堂々と口に出すような人を雇っちゃったのはこちらのミスでもある。

同じようなことだけれど、僕は原稿料の入ってこない原稿は絶対に書かない。すごく生意気に聞こえるかもしれないけれど、プロとしては当然のことである。たとえどんなに安くてもギャラだけは現金できちんともらう。宴会やってチャラなんていうのは嫌だ。こちらも締切りは厳守するんだから、そちらもちゃんとやってほしいと思う。

しかしそういう風にやってると「あいつは金にうるさい」と言われたりすることがある。しかしそういう同人誌、ドンブリ勘定的な体質が日本の文壇《ぶんだん》をどれだけスポイルしてきたか、よく考えてみてほしい。文学だってジャズ喫茶だって、根本は同じなんだ。

清潔な生活

年をとると床屋と風呂《ふろ》が好きになるという。僕も実にそうである。まだ「好き」というところまではいかないけれど、少なくとも苦痛ではなくなった。

昔はそうではなかった。床屋とか風呂とか聞いただけで顔面が蒼白《そうはく》になるくらい嫌だった。床屋の椅子《いす》に一時間近くも座って頭をいじくりまわされるのなんてうんざりだし、風呂にのんびりつかっているのも腹が立った。

生まれつきせっかちというせいもあるけれど、やはりエネルギーが溢《あふ》れていて長い時間じっとしているのが耐えられなかったのだろう。

それでも高校生になりガールフレンドとつきあうようになってからはある程度清潔にしなくちゃと思って、我慢してまめに風呂に入ったり床屋に通ったりするようになった。すごく良いことである。

ところが大学に入って東京に出てきたとたんにもとの汚ない生活に逆戻《もど》りしてしまった。何故《なぜ》かというと僕の大学生活が学生運動、ヒッピー・ムーヴメントのピークと、もろにぶつかってしまったからである。

なにしろあの頃《ころ》は汚ないことがステータス・シンボルみたいなものだから、みんな床屋には行かない、髭《ひげ》は剃《そ》らない、風呂に入らない、服は変えない、もう無茶苦茶である。一カ月も頭を洗ってないなんて男はザラだった。

とにかくそんな具合に何年かを送り、結婚して、また清潔な日々がやってきた。髪を短かくし、髭を剃り、何着かスーツを買った。最初のうちは義務的に、それから習慣的に、最近ではすすんで風呂に入ったり床屋に行ったりするようになった。髪だって毎日洗うし、オーデコロンだってつける。我ながらすごいと思う。

月に二回片道二時間かけて千駄《せんだ》ヶ谷《や》の床屋まで行く。シャツのアイロンも自分でかける。まわりでは「わりに清潔な人」ということでとおっている。昔のことは誰も知らない。人生ってなんだか妙なものだ。

ヤクザについて

高校時代に一人で旅行していて、夜行列車でヤクザのおっさんと同席したことがある。もう見るからに隅《すみ》から隅までヤクザというタイプで、その隣りにはもう隅から隅までヤクザの情婦というタイプの女がいて、その向いに僕が座っていた。べつに好きこのんで僕がその席を選んだわけではなく、向うが勝手に僕のいる席に来て座ったのである。僕は気の弱い少年だったからどこか別の席に移りたいなあと思ったが、下手に席を移ってからまれるのも嫌だから——ヤクザってそういうのにすごく敏感なのだ——そのまま我慢してずっとそこに座っていた。

とかなんとかやってるうちに夜も更《ふ》けてきたのだけれど、なにしろ古い列車で窓が開け放しになっているものだからどうしても蚊が車内に入ってくる。ヤクザのおっさんもはじめは手でぴしゃぴしゃやっていたが、とてもじゃないけどらちがあかない。それでどうしたかというと眠っていた情婦をたたき起して二人で延々と煙草《たばこ》を吸い始めたのである。どうも蚊取線香のかわりらしい。効果があるのかどうかよくわからないが、まあアイデアではある。ヤクザっていろんなことを考えるんだなあと思って感心して見てたら、今度は僕に向って「お

い、にいちゃん、お前もどんどん吸え」と言ってロング・ピースを一箱くれた。どんどん吸えったって、僕はまだ十六で煙草なんか吸ったことない。でもどうみても断れる雰囲気《ふんいき》ではない。情婦の方なんか真剣な顔つきで次から次へと煙草を吸っている。

結局僕も一晩煙草を吸いつづける羽目になった。おかげで頭は痛むし寝不足になるし、もう無茶苦茶である。本当にヤクザは困る。

関係ない話だけど、このあいだプールに泳ぎにいったら、イレズミをした肩にボートハウスのトレーナーをひっかけてサーフ・パンツをはいたヤクザのお兄さんがいた。こういうのも困る。湯村輝彦《ゆむらてるひこ》と片岡義男《かたおかよしお》とヒューマン・リーグが好きなんていうヤクザがいたりしてもちょっと困るなあ。べつに理由はないんだけど、やはり困る。

再び神宮球場について

世の中でいちばんわびしい行為とは何か？　それは十月初めのしとしとと秋雨の降る夜に文芸誌の編集者と二人で神宮球場に行って、柿《かき》のたねを食べ、仕事の話をしながらヤクルト対中日の日程消化ゲームを眺《なが》めることである。

僕は一度だけやったことがあるけれど、まあこれくらいわびしいものもない。こういう日にわざわざ球場に来る人にあんまりまともな人はいない。僕の近くにいたおっさんは試合のはじめから終りまで中日の外野手をからかって遊んでいた。

「おい、お前、こら、センター、××（名前）、馬鹿《ばか》、ちょっとこっち向け、おい、こら」なんて調子である。こういうのを何時間もやってるわけだから、こちらもめげるけど、やられてる方はもっとめげる。おまけに試合の方もワンサイドだから、プレイに集中することもできない。

はじめは「バカ」という感じで聞かないふりをしていたのだけど、そのうちに「おい、こら、お前んちのカアちゃん今なにやってるか知ってんのか？　今頃××でよお……」なんて内容になってくるとさすがに頭に来たようで、突如後を向いて「てめえ、この野郎」とい

う感じになった。センター・フライが来なかったからいいようなものの、一応プレイ中である。おそろしい。

そのあいだ我々はビールをちびちびと飲み、柿のたねをぽりぽりとかじりながら小説のゲラの打ちあわせみたいなことをやっていた。「えーと、三ページめ下段十六行めの『三頭めの白豚が雪の道をとぼとぼとあるいていた』というところですが……」といった具合である。そんなのべつに野球場でやらなくったっていいんだけど、野球場でやってみるとなんとなく面白《おもしろ》いんじゃないかという気がしたのである。べつに深い意味はない。

でもそのおっさんはとにかく最後まで中日の外野手をからかって帰っていった。いったいこういう人は昼間、何をやって暮してるんだろうね？

「引越し」グラフィティー(1)

人間というのは大別するとだいたい二つのタイプにわかれる。つまり引越しの好きな人間と嫌《きら》いな人間である。

べつに前者が行動的で進取の気性に富んでいて、ちょっとおっちょこちょいで後者がその逆で、というわけではなく、ただ引越しが好きか嫌いかという極めて単純な次元での話である。

話はちょっとずれるけど、単純な次元の話をことさら深く考えるのは良くないと思う。たとえばバラの花が好きな人は直情的だとか、犬の好きな人は性格が明るいとか、そういう考え方をしてはいけない。ただバラが好き、犬が好きというだけの話なのだ。だってそうでしょ、ヒットラーは犬が好きだったけど、犬好きな人がみんなヒットラー的な要素を持っているとは言えないじゃない。

僕はすごく引越しが好きである。荷物をまとめて街から街へと家から家へと移り歩いていると、本当に幸せな気持になってくる。しかしだからといって僕がアクティブな人間であるとは言えない。むしろその逆で、生活習慣を変えたり物事に対する評価を変えたりするのは

村上朝日堂

極端に嫌いな方である。麻雀《マージャン》の場所変え、酒場の梯子《はしご》、みんな嫌いだ。洋服なんか十五年前と殆《ほとん》ど同じものを着ている。でも引越しだけは好きだ。

引越しの良いところは、何もかもを「ちゃら」にできることである。近所づきあい、人間関係、その他もろもろの日常生活の雑事、そういうのが全部一瞬にしてパッと消滅してしまうのである。この快感はもう一度覚えると忘れることができない。僕の友だちに麻雀で役満を振り込むたびに「ええい、打ちこわしじゃ！」と言って卓を蹴倒《けたお》す人がいるけど、まあ気持としてはそれに似ている。夜逃げこそが引越しの基本的原型である。

僕はこれまでにずいぶんたくさん引越しをして、いろんな街に住んで、いろんな人とつきあってきた。そしてそのたびに何もかも「ちゃら」にして今に至ったのである。

「引越し」グラフィティー(2)

この雑誌は関東でしか売ってないから（売ってないんだろうな、よくわからない）、関西の地理的な説明をするのはかなりしんどい。暇な人は地図を見て下さい。

僕《ぼく》は物心ついてから高校を出るまでに二回しか引越しをしなかった。不満である。もっとたくさん引越しをしたかった。

それに二回引越したといっても、直線距離にして一キロほどの地域を行ったり来たりしていただけである。こんなのって引越しとも言えない。兵庫県西宮《にしのみや》市の夙川《しゅくがわ》の西側から東側へ、そして次に芦屋《あしや》市芦屋川の東側へと移っただけのことである。

東京でいえば新宿の三越からマイ・シティに移って、それから新宿御苑《ぎょえん》に移ったというくらいの距離である。だから転校というのをやったことがない。

転校生というのに僕は昔からすごく憧《あこが》れていた。小学校の時なんか転校する人がいるとよく「さよなら文集」なんて言うのを作ったりしてね、「エミコちゃん、遠くに行ってもお手紙下さい」とか「砂場でよくつっころばしてごめんね」とかいった作文をまとめて渡したりしていた。その子がいなくなっちゃうと、その席だけがしばらくぽつんと空いていたりして

ね。そういうのがもう病気になっちゃうくらい変質的に好きだった。

新しく入ってくる転校生もなかなか良かった。かわいい女の子がちょっとナーヴァスになっていたり、新しい教科書がまだなくて隣りの人と一緒に見てたりするところなんか、もう「これだ。これしかない」という感じで興奮したものだった。

しかしそのような強い希望にもかかわらず、僕は遂《つい》に一度も転校することができなかった。そしてその充たされなかった少年時代のフラストレーションが十八歳を過ぎてから「引越し病」という宿命的な形をとって僕の上に襲いかかってくるのである。詳細は次回につづく。

＊注　日刊アルバイトニュースは関東以外に、関西、北海道、中部、九州と四つの地域でも発売しています。

「引越し」グラフィティー(3)

僕が大学に入ったのは一九六八年で、とりあえず目白《めじろ》にある学生寮に入った。この寮は椿《ちん》山荘《ざんそう》の隣りに今でもあるから、目白通りを通った時はちらっと見ておいて下さい。

僕はここに半年住んでいたが、その年の秋に素行不良で放り出された。経営者は札つきの右翼で、寮長は陸軍中野《なかの》学校出身の気味の悪いおっさんとくれば、僕みたいなのは放り出されない方がどうかしてる。時は一九六八年、まさにドンパチの時代だし、こっちだって血の気の多い年代だから頭に来ることはいっぱいあった。右翼学生がソーカツしにくるっていうので枕《まくら》の下に包丁置いて寝たこともある。

でも生まれてこの方一人で暮したのははじめてだったから毎日の生活はとても楽しかった。だいたい夜になると目白の坂を下って早稲田《わせだ》の界隈《かいわい》で飲んだくれる。で、飲むと必ず酔いつぶれる。その頃《ころ》は酔いつぶれずに飲むなんていう器用なことはできなかった。

酔っ払うと誰《だれ》かがタンカを作って寮まではこんでくれた。タンカを作るには実に便利な時代だった。というのはそこらじゅうにタテカンがあふれていたからである。「日帝粉砕」とか「原潜寄港絶対阻止」なんていう看板を適当に選んでむしりとってきて、そこに酔っ払い

を載せて運ぶのである。これはなかなか楽しかった。

でも一度だけ目白の坂でタテカンが割れて、石段でいやというほど頭を打ったことがある。おかげで二、三日頭が痛んだ。

それから夜中に日本女子大の看板を盗みにいったこともある。そんなものを盗んだって仕方ないんだけど、なんとなく欲しくなって外しにいったらオマワリにみつかって追いかけられた。

考えてみたらあのころは週に一回はオマワリに職務質問された。時代も荒れてたし、こちらの人相も悪かったのだろう。最近は一度も職務質問されない。オマワリに職務質問されなくなったら人生はもうおしまいなんじゃないかと、ふと思ったりする。

村上朝日堂

「引越し」グラフィティー(4)

目白の寮を追い出されてから練馬《ねりま》の下宿に移った。早稲田の学生課でみつけたいちばん安い部屋である。三畳で四千五百円、敷金・礼金なし、これはもう絶対に安い。敷金・礼金なしなんて他《ほか》にない。

下宿は西武新宿線の都立家政《とりつかせい》の駅から歩いて十五分くらいの距離にあった。まわりは絵に描《か》いたみたいな大根畑である。東京にもこういうところがあるんだなとつくづく感心した。だいたい「都立家政」なんて駅の名前からしてひどすぎる。とりあえず名前だけでもつけておこうという感じがミエミエである。「都立家政」なんて一度聞いただけだと本当に意味わからないよ。

今はどうなったかわからないけど、その当時は大根畑にまじって家が建っているというくらいの印象しかない町だった。

土地が黒く、じとっと湿っていて、冬がとても寒かった。女の子とうまくいかなかったりしたこともあって、練馬時代は僕にとってはちょっと暗めの時代だった。

ほとんど学校にも行かずに、新宿でオールナイトのアルバイトをして、そのあいまに歌舞《かぶ》

伎町《きちょう》のジャズ喫茶に入りびたっていた。
ジャズ喫茶といえば「ヴィレジ・ゲート」とか「ヴィレジ・ヴァンガード」なんかが暗っぽくて好きだった。女の子と行く時は「ダグ」とか「オールド・ブラインド・キャット」なんかがよかった。こういうことをいうといかにもオジサン臭いけど、ジャズがぴしぴしと体にしみこんでくる時代だったな。良くも悪くもね。
たしか「連続射殺魔事件」の永山則夫《ながやまのりお》くんも同じころにやはり都立家政に住んでいて、「ヴァンガード」でバイトをしてたと思う。
僕はもうかれこれ十年近く西武新宿線に乗ってないけど、あの歌舞伎町→西武線→都立家政の生活は今でも僕の体の中にザラッとした感じですごくリアルに残っている。ここには一九六八年の秋から翌年の春まで住んだ。

「引越し」グラフィティー(5)

都立家政の暗い三畳間で半年暮して、生きているのがつくづく嫌《いや》になってきたのでまた引越すことにした。一九六九年の春のことである。家具・荷物なんて殆《ほとん》どないから引越すのは実に楽だ。布団《ふとん》と洋服と食器を車のトランクに放り込んでしまえば、それでもう準備完了である。人生というのはすべからくこうありたい。

今度の住居は三鷹《みたか》のアパートである。ごみごみとしたところにはもううんざりしたので、郊外に移ることにしたのだ。

六畳台所つきで七千五百円（安いなあ）、二階角部屋でまわりは全部原っぱらだから実に日あたりが良い。駅まで遠いことが難といえば難だけど、なにしろ空気はきれいだし、少し足をのばせば武蔵野《むさしの》の雑木林がまだ自然のままに残っているし、すごくハッピーだった。

気持が良いので質屋で中古のフルートを買ってきて練習してたら、隣りの部屋にかまやつひろしによく似たギター少年がいて「ハービー・マンやろうよ」ということになって、毎日「メンフィス・アンダーグラウンド」ばかり吹いていた。だから僕の記憶の中にあっては三鷹イコール「メンフィス・アンダーグラウンド」ということになってしまう。

あとそのころの記憶というと、ブラジャーが空を飛んでたっていうくらいしか覚えてない。ブラジャーは本当に空を飛ぶのか？　もちろん飛ばない。風に吹かれて空を漂っていただけである。

すごく風の強い夜で、僕がとぼとぼとアパートの近くの道を歩いていたら、なにか白いものが空高くふわふわと飛んでいて、「あれ、白サギか何かかな」と思ってよく見たら、これがブラジャーだったんだよね。

ブラジャーが夜空を飛んでいるところを目撃したことのある人ならわかると思うけれど、これはなかなか異様な光景です。「まさかそんなものが」という意外性と、空気力学的な動きの面白《おもしろ》さが一体化して、あれは実に良かったなあ。

「引越し」グラフィティー(6)

僕は絶対に日記をつけない人なのだけど、三鷹時代に限ってどういうわけか短い日記をつけている。たいした日記じゃなくて、何を食べただとか、どんな映画を観《み》ただとか、誰《だれ》に会っただとか、何回やっただとかその程度のことしか書いてないのだけど、それでもあとになって読みかえしてみるとなかなか面白い。

一九七一年のところを見ると、夕刊は十五円である。平凡パンチは八十円、牛肉二百グラム百八十円、ハイライト八十円、コーラ四十円、だいたい今の物価の半分くらいだ。

この年の一月三日と五日には雪が降っている。一月三日には十センチも積った。この日は三鷹大映で山下耕作《やましたこうさく》の「昇り龍」(良い映画である)と渥美《あつみ》マリの「いいものあげる」(良いタイトルである)の二本立てを観ている。五日には新宿の京王名画座で「夕陽《ゆうひ》に向って走れ」と「イージー・ライダー」を観ている。「イージー・ライダー」を観たのはそれで三回めだった。

一九七一年という年は大学のドンパチがいちおう峠を越えて、闘争が陰湿化し内ゲバに向いはじめるというかなり複雑で嫌な時代なのだけど、こうしてみると実際には毎日女の子と

デートしたり映画観たりして結構たらたらと生きていたみたいだ。だから「最近の若い男の子はどうのこうの」なんて偉そうなことはとても言えそうにない。人間というのはべつに大義名分やら不変の真理やら精神的向上のために生きているわけじゃなくて、要するにかわいい女の子とデートしてうまいものを食べて楽しく生きたいと思っているだけである。

年をとってから思いかえしてみると自分がすごくはりつめた青春時代を送ってきたような気がするものなのだが、実際にはそんなことはなくて、みんな馬鹿《ばか》なことを考えながらたらたらと生きてきたのである。

古い日記を読んでいるとそういった雰囲気《ふんいき》がひしひしと伝わってくる。

文京区千石と猫のピーター

三鷹のアパートで二年暮してから、文京区の千石《せんごく》というところに越した。小石川植物園の近くである。

どうして郊外からまた一気に都心に戻《もど》ってきたかというと、結婚したからである。僕《ぼく》は二十二でまだ学生だったから女房《にょうぼう》の実家に居候《いそうろう》させてもらうことにしたのだ。女房の実家は布団屋《ふとんや》をやっていたので、そのトラックを借りて引越しをした。引越しといっても、荷物は本と服と猫《ねこ》くらいしかない。猫はピーターという名前で、ペルシャと虎猫《とらねこ》の混血の、犬みたいに大きな雄猫だった。

本当は布団屋さんじゃ猫は飼えないから連れてきちゃだめだと言われてたのだけれど、どうしても置いていくことができなくて、結局は連れてきてしまった。

女房の父親はしばらくぶつぶつ言ってたけどそのうちに——僕に対するのと同じように——あきらめてくれた。とにかくなんでもかんでもすぐにあきらめてくれる人で、その点については僕はすごく感謝している。

しかし猫のピーターは最後まで都会生活になじむことができなかった。いちばん困ったの

はあたりの商店からのべつまくなしモノをかっぱらってくることだった。

もちろん本人には罪の意識はまるでない。何故《なぜ》なら彼は生まれてこのかた三鷹の森の中でモグラをとったり鳥を追いかけたりして生きてきたからである。モノがあればとる。当然である。

でも猫にとっては当然のことでも、こちらとしては立場上すごく困る。そのうちに猫の方でもだんだん価値観が錯乱してきたようで慢性の神経性下痢《げり》になってしまった。

結局ピーターは田舎の知りあいにあずけられることになった。それ以来彼には一度も会っていない。話によると近所の森の中に入ったきりで家にもほとんど戻ってこないそうである。生きていれば十三か十四になる。

文京区千石の幽霊

文京区千石のつづき。

僕が居候していた女房の実家は、昔の徳川家の屋敷の一画に建っている。一画と言っても庭のずっと隅《すみ》の方だから、べつに由緒《ゆいしょ》も何もない。

ただ困ったことには——というか何というか——この家は実にかつての地下牢《ちかろう》の上に建っているのである。つまり家の下には、その跡があるわけだ。で、もちろん幽霊が出る。

僕ははじめのうちはそういうことを知らなくて、なんだかいやに湿っぽくて暗いなあ、というくらいにしか感じなかった。夜中に便所に行ったりすると妙に気持悪い雰囲気《ふんいき》があったりした。

女房が時々幽霊を見た。幽霊といっても人の形をとったものではなく、白いかたまりのようなもので、それが家の中をしばらくふわふわと飛びまわってから壁に吸い込まれていくのである。僕は見たことがないからくわしく説明できないけれど、だいたいそういう感じのものらしい。

ところで僕は終始一貫して幽霊とかUFO《ユーエフオー》とか、そういうのを見たことがない。僕にはど

うも霊を感知したりする能力がほぼ完全に欠落しているようである。

べつに幽霊なんて見たくもないからそんな能力なくったってちっとも構わないのだけれど、そういうのって何かしら芸術家ぼくない。

僕の知りあいの絵かきに年じゅう幽霊ばかり見ている人がいるけれど、この人なんか風《ふう》貌《ぼう》といい画風といい、そこかしこに妖気《ようき》が漂っていて、もうこれは絶対芸術家という感じがする。僕なんか幽霊の出る家に一年も住んでいながら一度も幽霊を見なかった人間だから、そういう人の前に出るとすごく肩身が狭い。

安西水丸さんも画風から推察するに、幽霊なんか見たことないんじゃないかな。

もしそうだとしたらすごく嬉《うれ》しいんだけど、どうでしょう。

国分寺の巻

いつまでも居候をしているわけにもいかないので、女房の実家を出て、国分寺《こくぶんじ》に引越した。どうして国分寺かというと、そこでジャズ喫茶を開こうと決心したからである。

はじめは就職してもいいな、という感じでコネのあるテレビ局なんかを幾つかまわったのだけど、仕事の内容があまりに馬鹿馬鹿《ばかばか》しいのでやめた。そんなことやるくらいなら小さな店でもいいから自分一人できちんとした仕事をしたかった。自分の手で材料を選んで、自分の手でものを作って、自分の手でそれを客に提供できる仕事のことだ。でも結局僕《ぼく》にできることといえばジャズ喫茶くらいのものだった。とにかくジャズが好きだったし、ジャズに少しでもかかわる仕事をやりたかった。

資金のことを言うと、僕と女房と二人でアルバイトをして貯《た》めた金が二百五十万、あとの二百五十万は両方の親から借りた。昭和四十九年のことである。その当時の国分寺では五百万あればわりに良い場所で二十坪くらいの広さの、結構感じの良い店を作ることができた。つまり五百万というのは殆《ほとん》ど資本のない人間でも無理すれば集められない額の金ではなかった。つまり金はないけれど就職もしたくないなという人間にも、アイデア次第でなんとか自分で商

売を始めることができる時代だったのだ。国分寺の僕の店のまわりにもそういった人たちのやっている楽しい店がいっぱいあった。

でも今ではそうはいかない。国分寺とか国立《くにたち》あたりでも土地の値段がずいぶんあがってしまったし、建築費もあがったし、駅の近くで十五から二十坪くらいのちょっと洒落《しゃれ》た店をやろうと思ったら最低二千万くらい必要なのではないだろうか？　二千万というのはどう考えたって普通の若い人間が集められる金額ではない。

今、「金もないけど、就職もしたくない」という思いを抱いている若者たちはいったいどのような道を歩んでいるのだろうか？　かつて僕もそんな一員だっただけに、現在の閉塞《へいそく》した社会状況はとても心配である。抜け道の数が多ければ多いほどその社会は良い社会であると僕は思っている。

大森一樹について

大森《おおもり》一樹《かずき》くんは兵庫県芦屋《あしや》市立精道《せいどう》中学校の僕の三年後輩であり、僕が書いた「風の歌を聴け」という小説が映画化された際の監督でもある。この人は見かけは獣《けだもの》みたいだし、浮浪者のような酒の飲み方をするし、汚ない格好《かっこう》をして、すぐ大声を出すけれど、なかなか良い人です。少なくともそれほど悪い人ではない（しかし、どうもこれでは賞《ほ》めてるという感じがしないな）。

大森くんは現在芦屋市平田町のマンションに住んでいて、仕事もなく、昼間は赤ん坊を抱いて近所の海岸を散歩して過ごしているらしい。気の毒である。小説家なら依頼がこなくたって一人でコツコツと小説を書けるが、映画監督はそうはいかない。資金が要るし、スタッフが要るし、機材だって要る。

先日テクニクスのプレイヤーの雑誌CMに彼が出ていたから、「すごいじゃない」と言ったら、「あんなもん子供のミルク代ですわ。それにプレイヤーかてもらえへんかったし……ぶつぶつ」と言っていた。

松下電器だって大森一樹にプレイヤーくらいあげればと思うのだけれど、広告業界のこと

はよくわからないから、まあなんとも言えない。しかしプレイヤーがなくて童謡のレコードがかけてやれないから、大森一樹は今日も子守唄《こもりうた》を口ずさみながら赤ん坊を背負って芦屋の海岸線をとぼとぼと往《い》き来《き》しているのかもしれない。

そういう人が自社の製品のCMに出ているとなると、松下電器だって寝覚めが悪いだろう。プレイヤーくらいあげたい。

それはまあともかく大森くんは今年やるはずだった企画が全部ポシャッてしまって、すごく落ちこんでいるみたいである。長谷川和彦《はせがわかずひこ》と二人でどこかの雑誌ですごく暗い対談をやったという情報もある。前にも言ったように、それほどとくに悪い人ではないから、大森一樹くんにははげましの手紙を出してあげて下さい。「アルバイトニュース」あてに送っていただければ転送します。

地下鉄銀座線の暗闇

東京に来ていちばん驚いたというか、感動したのは地下鉄銀座線に乗った時だった。乗ったことのある人はわかると思うけれど、銀座線の列車は駅に到着する直前に一秒か二秒電灯が消えて、車内がまっ暗になる。だから逆にまっ暗になると「ああ、もう駅なんだな」とわかる。

しかし生まれてはじめて地下鉄銀座線に乗った人にはそんな事情はわからない。だからまっ暗になった瞬間にまず「事故だ！」と思う。地下鉄の事故というのは非常に危険だから、これはもうヤバイかな、という思いが一瞬脳裏をよぎる。しかしその次の瞬間には車内灯が再び灯《とも》る。そして何事も無かったかのように電車は走りつづけ、やがて駅に停車する。すごくホッとする。

でもその時僕がいちばんびっくりしたことは、他の乗客が毛ほども驚いたり、怯《おび》えたり、動揺したりしていないということだった。常識で考えれば地下鉄の車内がたとえ一瞬にせよまっ暗になったんだから、女子供が悲鳴をあげたり、老人があわてて転んだりといったくらいのことはあってしかるべきである。それなのに、誰《だれ》も顔色ひとつ変えない。それどころか

暗くなったことさえ気づいていないみたいである。東京の人ってタフでクールなんだなあ、とつくづく感心した。

でももちろん何度か乗っているうちに、それが事故ではなく日常的なものであることはわかった。そういうのって一度わかってしまうと、実に馬鹿馬鹿しい。

クラスの友だちにその話をしたら、「でもさ、そのまっ暗になった時に目がキラッと光るのが乗客の中に何人かいてさ、それがみんな日比谷《ひびや》高校の生徒なんだよ。一度気をつけて見てごらんよ」と言われた。

これはもちろん嘘《うそ》です。もっとも嘘だと気づくまでに何日かかかった。僕は昔はかなり素直な青年であった。

ダッフル・コートについて

僕《ぼく》はダッフル・コートというのが好きで、この十三年くらいずっと同じものを着ている。VANジャケット製のチャコール・グレイのもので、買った時は一万五千円だった。それ以来、冬になるとこれで寒風をしのいでいる。

そのあいだに世の中では実にいろんなコートが流行《はや》った。マキシのコートが流行り、アフガン・コートが流行り、皮ジャンが流行り、毛皮が流行り、ランチ・コートが流行り、スタジアム・ジャックが流行り、ピー・コートが流行り、ダウン・ジャケットが流行った。そのあいだ僕はずっとダッフル・コートを着ていた。それでみんなに結構馬鹿《ばか》にされたりもした。でも僕は耐えた。

しかしである、世の中はどうやら一応ぐるっと一周したみたいで、今年になってダッフル・コートを着た若い人々の数が増えた。

「メンズ・クラブ」の一月号を読むと、どうしてダッフル・コートが今年流行っているかというのがちゃんと説明してある。

それによればダッフル・コートがここのところずっと冷や飯を食わされていたのは①暖房

ぼくはダッフルコートが好きだ
ちっまだダッフルコートかよ

が行き届いた昨今、重いウールのコートが敬遠されたのと②ヘビー・デューティー用に軽くて暖かいダウン・ジャケットが普及した、からであり、今年になって急にまた流行りだしたのは、「しかし、人間必ずしも便利さ、機能性のよさだけで満足するものではない」からである。

こんな風にきちんと説明されると、ぽんと膝《ひざ》を叩《たた》いて「うむ、そういうことだったのか」とつぶやいてしまう。

こういった「××が今流行する理由」風の記事って、僕は大好きだ。そういうのを読んでいると世の中が決して行きあたりばったりに進んでいないことがわかって心強い。一生懸命考えれば将来のことだってわかりそうな気がしてくる。

それはそうと今年こそ軽くて暖かいダウン・ジャケットを買おうと思ったりして。

体重の増減について

たいして高価なものでないのに、どうも買いづらくて買わずにいるというものがある。僕の場合は体重計がそうだった。いつも買おう買おうと思うのだけれど、実際にデパートなんか行ってみるとデザインが今ひとつ気に入らなかったり、持って帰るのが面倒になったりで、つい「また今度でいいや」ということになる。

それに僕の場合60から61キロくらいで体重が安定していて、べつに体に悪いところもないから、どうしても必要というわけではなく、あると便利という程度である。

そうこうしているうちに、今年の秋にあるところから体重計をもらった。こういうことがあると、すごく嬉《うれ》しい。いままで買わずに我慢してきたかいがあった。だって体重計が二つあったって仕方ないものね。

で、早速みんなの体重を測ってみた。猫《ねこ》Ⓐが3・5キロ、猫Ⓑが4・5キロ、僕が61キロである。

体重計というのはなかなか面白《おもしろ》いものである。一度測り出すと癖になって、僕なんか一日に十回くらい体重計に乗っている。

細かく測っているとわかることだけど、人間の体重は一日のうちで1キロから1・5キロくらい上下する。

当然のことながら食事をすると増えるし、排出すると減る。夜寝る時と朝起きた時とでは1キロ近く体重が違う。それから夏場にキロ五分ペースで5キロ走ると500グラム減り、同10キロで1キロ近く減る。もっともこれは殆《ほとん》どが発汗作用によるものであって、水分を補給すれば体重はもとに近くなる。

もうひとつ、都会に出て仕事上べつに会いたくない人に会ったりすると1キロやせる。なかなか微妙なものだ。

この秋の僕の最高体重は64キロ、現在は58キロである。基礎的なダイエットと軽いジョギングを一カ月やれば5キロくらいはすぐやせるみたいだから、太り気味で困っている人はがんばるように。

電車とその切符　その(1)

村上朝日堂

僕はしょっちゅう電車の切符を失《な》くしてしまう人間である。子供の頃《ころ》からそうだったし、今でもそうである。目的地について、さあ改札を出ようとすると、切符が見当らない。コートのポケット、ズボンのポケット、シャツのポケットなんかぜんぶひっくりかえしてみるのだけれど、切符はどこにもない。いったいどこに消えてしまったのだろう？

僕は電車に乗っているあいだ、とくにかわったことをしたわけではない。座席に座り、何もせずに、ただぼんやりと文庫本を読んでいただけである。切符を入れておいたはずのポケットには、手も触れてはいない。なのに、なぜ切符は消えてしまったのだろう？　謎《なぞ》である。

しかもそういうことが一度ならず、何度も何度もおこるのである。これはもう切符専門のブラックホールが僕のまわりのどこかにあるとしか考えようがない。

それはともかく、大の男が改札のわきで洋服のポケットを全部ひっくりかえしているのは、あまり見られた光景ではない。正直言って恥ずかしい。とくに棚《たな》の上にポケットの中のものを「これが財布でしょ……手帳でしょ……ティッシュ・ペーパーでしょ……」なんて並べな

がら点検しているところなんか悲惨としか言いようがない。

僕は駅の改札を通るたびに、僕と同じように洋服のポケットをぜんぶひっくりかえして切符を探している人の姿を求めるのだが、ほとんどそういう光景にお目にかかったことがない。普通の人は切符なんて失くさないのだろうか？

それから女の子とデートしている時に切符を失くしちゃうのは困る。「ねえ、ちょっとちょっと待って」なんて言って待っててもらって、改札のわきでゴソゴソやっていると、相手の女の子の顔つきが微妙に変っていくのがわかる。実に切ない。

電車とその切符　その(2)

村上朝日堂

電車の切符を失くす話のつづき。

切符を失くさないコツというのを昔教わったことがある。コツといったってべつに複雑なことではない。要するにいつもきまったポケットに切符を入れておく、ということである。ズボンの前ポケットとか財布の小ポケットとか、切符専用の場所を作っちゃうわけだ。そして切符にはさみを入れてもらったら、間髪をおかず、そこにしまっちゃうのである。これなら切符も失くならないし、目的地についても、さっと取り出すことができる。

しかしこれはあくまで理論にすぎない。たとえどのようにしても切符を失くすように宿命づけられた人は、確実に切符を失くしてしまうのである。たとえば人はいつも同じズボンをはいているわけではない。フラノのズボンをはくこともあれば、ブルージーンズをはくこともあるし、ジョギング・パンツのこともある。そしてそのそれぞれによってポケットの形から数から意味から目的まで、全部違うのである。だから単純に「前ポケット」と言ったって、微妙に食いちがってくるわけである。だいたいジョギング・パンツのどこに前ポケットがあるのか？

財布の小ポケットというのは合理的みたいだが、これもあまりうまくいかない。何故《なぜ》なら①財布をとりだす②切符を入れる③ポケットに財布をしまうという三工程が必要とされるからだ。忙しい時なんかこれが結構わずらわしい。それに人前で財布をとりだすのは物騒でもある。また切符をいちいち財布にしまうという行為は大の大人がやることじゃないな、という恥ずかしさもある。だから結局「今回はここのズボンの右ポケットにつっこんどきゃいいや。ちゃんと覚えてるから大丈夫」ということになる。そして目的地につくと切符はちゃんと失くなっているのである。

何度もくりかえすけれど、これはもう宿命である。切符というのは失くさない人は失くさないし、失くす人は永遠に失くしつづけるのである。

電車とその切符　その(3)

電車の切符を失くす話をしつこくつづけて三回目。

僕は昔、どうすれば電車の切符を失くさずに済むかというのを、かなり真剣に考えたことがある。理論的にはこれはとても簡単なことである。つまり①どんな服装をしていても普遍的に存在し②出し入れするのに手間がかからず③そこに切符を入れたことを決して忘れない場所、をみつければいいのである。ちょっと考えてみて下さい。

この三つの条件をそなえた場所を、あなたは思いつけるだろうか？　靴下《くつした》とか靴というのもだめです。サンダルばきのこともあるからね。パンツの中というのもだめ、②の条件をみたしていない。

僕は長いあいだ考えに考えた末に、やっとひとつだけそれに適合する場所をみつけだした。耳である。耳しかない。我発見せり《ユリイカ》！

それ以来僕は切符を折りたたんで耳の穴にしまいこむようになった。はじめのうちはゴワゴワしておちつかないけれど、慣れてくるとべつにどうってことはない。逆に「あ、今僕の耳の中に切符があるんだな」という確かな存在感がつたわってきて愛《いと》おしくさえある。

そういう感じがよくわからないという人は、ためしに一度やってみて下さい。国電の切符なら（もちろん厚紙のはダメ。あんなのでやったら耳が傷つく）横に二回、縦に一回折れば耳に入ります。
その際インクが耳につかないように、裏かえして折ることを忘れないように。耳のうぶ毛がちりちりと音を立てて、少し気恥ずかしいという気がするでしょう？ くく、くすぐったいという人もいるかもしれない。
しかしこの僕の「切符耳入れ運動」が全国的に広まり、何万人もの女子高校生が毎朝耳の中から三つおりにした切符をとりだす光景を想像すると、僕の心は踊るのである。こういうのってやっぱりどこか異常なのかな？ よくわからない。
（＊この文章を書いたあとで読者から「女子高校生は定期券を持っている」という投書がきました。そういえばそうですね。定期券は残念ながら耳に入らない。）

電車とその切符 その(4)

村上朝日堂

切符を失くす話を四回つづけて、これが最終回。

この前切符を折り畳んで耳に入れておくと失くさないという話を書いたが、時々耳に切符を入れているとすごく変な目つきで僕《ぼく》のことを見る人がいる。茫然《ぼうぜん》とした顔で見る人もいるし、気持悪がって離れていく人もいる。

まあその気持はわからないではないけれど、僕が切符をポケットに入れようが耳に入れようが、それはあくまで僕の勝手ではないか。そんなことくらいで、いちいち人のことを変な目つきで見ないでほしい。こちらだってそれなりの事情があって、そういうことをやっているわけである。

あと困るのは居眠りしてる時に検札にこられた時で、「お客さん、切符お願いします」なんて急に言われて耳からさっと切符を出したりすると、車掌もまわりの人も、ものすごくびっくりしてしまうみたいである。

びっくりするのは仕方ないにしても、車掌によっては汚いといって怒る人もいる。

そんななにやかやで面倒になってしまって、結局耳に切符を入れることもやめてしまった。

今はもう「そんなに失くなりたいんなら、いつでも好きに失くなっちゃいなさい」という無我・無心の境地で電車に乗っている。どんなに苦労したって切符は必ず失くなってしまうんだから、苦労するだけ無駄《むだ》というものだ。

ただ落とした時の損害を最小限にくいとめる方策はある。どういうのかというと、どこに行くにも初乗り料金の切符しか買わないことである。そして目的地についてから改札口で乗越しぶんを追加して払う。こうすればもし切符を失くしても、損害はぐっと少なくなる。

親切な駅員がいて「失くしちゃったのお、しようがないなあ、いいよべつに」なんて言ってくれたら、もう丸もうけみたいなものである。

聖バレンタイン・デーの切り干し大根

村上朝日堂

ちょっと古い話になるけど、二月十四日の夕方に切り干し大根を作った。西友《せいゆう》の前を歩いていたら農家のおばさんが道ばたでビニール袋に入った切り干しを売っていて、それを見たら急に食べたくなり、買ってしまった。一袋五十円である。それから近所の豆腐屋で厚あげと豆腐も買った。ここの豆腐屋の娘はちょっと毛深いけれど、割に親切で、かわいい。

家に帰って切り干し大根を一時間ほど水で戻《もど》し、ゴマ油で炒《いた》め、そこに八つに切った厚あげを入れ、だしと醤油《しょうゆ》と砂糖とみりんで味つけし、中火でぐつぐつと煮る。そのあいだにカセット・テープでB・B・キングを聴きながら、人参《にんじん》と大根のなますと、かぶとあぶらあげのみそ汁を作る。それから湯どうふを作り、はたはたを焼く。これがその日の夕食である。

それを食べていてふと思い出したのだが、二月十四日という日は聖バレンタイン・デーである。バレンタイン・デーというのは、女の子が男の子にチョコレートを贈る日である。そんな日の夕食にどうして僕《ぼく》は自分で作ったみそ汁をずるずると飲み、自分で作った切り干し大根の煮物を食べていなくちゃいけないんだろう？　そう考えると自分の人生がつくづく情けなくなった。これではまるで「ジョージ君」ではないか？　チョコレートなんて誰《だれ》一人と

してくれない。女房《にょうぼう》でさえ「バレンタイン・デー？　へえ」なんて言いながら、僕の作った切り干し大根を黙々と食べている。

昔はこうではなかった。兵庫県立神戸高校の二年生の時は三人の女の子がチョコレートをくれた。早稲田《わせだ》大学文学部在学の時だって、そういうことはちょくちょくあった。しかし、ある時から突然僕の人生は正常な軌道をずれてしまって、僕は聖バレンタイン・デーの夕方に切り干し大根と厚あげの煮物を作るような人間になってしまったのだ。こんなことしていると今に「黄昏《たそがれ》」のヘンリー・フォンダみたいな老人になってしまいそうで、自分でも怖い。いやだいやだ。

誕生日について

前回、年をとったらバレンタイン・デーなんか少しも面白《おもしろ》くないという話を書いた。しかし年をとって面白くなくなるのはバレンタイン・デーだけではない。誕生日だって相当に面白くなくなる。自慢じゃないけど僕の最近の誕生日なんて何ひとつとして面白いことがない。

もちろんプレゼントがもらえないというわけではない。僕の奥さんはかなり気前の良い方だから「プレゼント何が良い？ なんでも買ってあげるわよ」なんて言ってくれるし、またたいていのものは実際に買ってくれる。しかしである、よく考えてみれば彼女が払っても僕が払っても、出どころは同じわけである。その時十万円のカセット・デッキを買ってもらってわっと喜んでも、月末になったら「あのね、今月の生活費足りないんだけど」と言われるのはもう目に見えている。そんなこと考えたら、誕生日のプレゼントに何もらったって嬉《うれ》しくもなんともない。

暗い。

今年の誕生日はだからもうこっそりと済ましてしまおうと思った。銀座でレコード一枚買ってから（自分で買った）、日本橋の高島屋の特別食堂に行って弁当を食べて、おしまいに

しよう、それくらいで分相応じゃないかと思った。それで日本橋まで歩いていったら、高島屋が定休日だった。そんなのってない。僕は高島屋の食堂に行けばそれなりにひそやかな誕生日が祝えるんじゃないかと思えばこそ、わざわざ日本橋まで歩いてきたのである。結局その日はむかっ腹を立ててビールを飲み、腹いっぱい鮨《すし》を食べて、いっぱいお金を使うことになった。

　その誕生日の翌日、僕の出版担当の女性編集者に会って食事をした。彼女は僕より三つ年下で、同じ血液型で、同じ誕生日である。

「誕生日ったって良《い》いことありませんねえ」と彼女も言っていた。年とってくるとこんな風に同じ誕生日の人がごそごそと集まって「お互い良いことありませんねえ」などと言いながら飲み食いするのが最も妥当な誕生日の過し方ではないかという気がする。

ムーミン・パパと占星術について

前回僕の出版担当の女性編集者が僕と同じ血液型で同じ誕生日である、と書いた。そういう場合まず気になるのは、僕と彼女のあいだに性格的運命的な共通点があるかということである。幸い彼女は僕の担当編集者なのでじっくりと観察することができた。結果から言うと共通点はもちろんある。しかし「やはりさすがに」と感心するほどの顕著《けんちょ》な共通点はない。相違点よりはいくぶん共通点の方が多いという程度のものである。

もっとも「ムーミン」を読むとムーミン・パパと五分ちがいで生まれた人がいて、そちらは大悪党になり、一方ムーミン・パパの方は立派なおとうさんになったそうだから、同じ誕生日なんていってもあまり共通点はないのかもしれない。

たしかに星占いの世界ではちょっと時間がずれるといろんなことががらっと変ってしまうみたいである。僕の場合はだいたい正午ごろというあたりまではわかるのだけれど、それ以上はくわしくはわからない。だから厳密に運命を占ってもらうことはむずかしい。

三年くらい前に占星術にくわしいある有名な女性と同席することがあって、良い機会なので比較的近い将来のことを質問してみた。その人は「正午の前かあとで結構ちがうんだけ

ど」と断りながらも、「たぶん今年中に離婚しますね」とはっきり言った。僕はそうなるのも運命だからまあ仕方ないかな、と思って、預金通帳の配分方法を考えたり離婚後の身のふり方を考えたりしながらその年を過ごした。
　でも結局僕は離婚しなかった。たいした喧《けん》嘩《か》もしなかった。どちらかというと極めて平穏な一年であった。その女性の予言はすごくよくあたるという話だから、たぶん僕の場合は正午の前か後かそういうので運命が微妙にずれちゃったんだと思う。
　しかしもし誕生時間が五分違っていたら僕は今ごろ独身で、ガールフレンドなんか十人くらいいて、ということになっていたかもしれないのだ。もうなんだっていいや、という気がしないでもないけれど。

あたり猫とスカ猫

村上朝日堂

すごく個人的なことになるけれど、昨日うちの猫《ねこ》が背骨がずれて入院した。この猫は八歳になる雌のシャム猫で、「あたり」の猫である。

こういうことを言うと怒る人がいるかもしれないけど猫には「あたり」と「スカ」の二種類がある。時計なんかと同じである。これぱかりは飼ってみなくてはわからない。外見では絶対にわからない。血統もあてにならない。とにかく何週間か飼ってみて「うん、これはあたり」とか「参ったね、スカだよ」というのがやっとわかるのである。

これが時計だったら買い換えることもできる。しかし猫の場合はそれがスカだったからといってどこかに捨てて、あたりに買い換えるというわけにはいかない。これが猫を飼う時の問題点である。スカとはスカなりになんとかうまくやっていかなければならない。

それではあたりの猫にめぐりあう確率はどれくらいかというと、僕の長い猫経験からしてだいたい三・五匹から四匹につき一匹というくらいの確率ではないかという気がする。だから結構あたりの猫というのは貴重である。もっともどの猫があたりかというのは人によって微妙に基準がちがう。これは人間の場合の美人の基準と同じである。

これは
人間の場合の
美人の
基準と
同じである

この入院したあたり猫は、実は国分寺《こくぶんじ》のそば屋で飼われていたのだが、飼いきれないという理由で獣医に身柄《みがら》をあずけられ、それがたまたまうちにまわってきたのである。そういう事情だから、なんかうさんくさいなあという感じでしばらく飼ってみたのだけど、これが実は最高のあたりだったわけだ。こういうこともあるのだ。

彼女がうちに来たのは½歳の時で、僕がその時二十六であった。彼女は今や人間の年でいうと五十くらいになり、僕は人間の年でいうと三十四になった。成猫《せいびょう》の体の中では人間の約四倍の速度で時間が流れているのである。そう考えるととてもいとおしくなる。人間にあたりとスカがあるか、というのは僕の手には負いかねる問題である。

ロンメル将軍と食堂車

村上朝日堂

昔なにかの本を読んでいて、ロンメル将軍が食堂車でビーフ・カツレツを食べるシーンにぶつかったことがある。

シーンといってもべつにくわしい情景描写があったわけではなく、たとえば「パリに向う食堂車の中で、ロンメル将軍はビーフ・カツレツの昼食をとった」といったような文章があっていたきりである。それに話の筋にとくにビーフ・カツレツが絡《から》んでいたわけでもない。要するにロンメルがビーフ・カツレツを食べた、というそれだけの話だ。

僕《ぼく》がどうしてこのなんでもない一節をよく覚えているかというと、色のとりあわせがきれいだからである。まずロンメルの軍服はぱりっとした紺サージ、白いテーブル・クロス、あげたばかりのキツネ色のビーフ・カツレツ、バターをさっとからめたヌードル、そして窓の外に広がる北フランスの緑の田園風景――本当はそうじゃなかったのかもしれないんだけれど、文章を読んでいて、ぱっぱっぱと浮かんでくるのがそういう色のとりあわせなのである。だからこそとりたてて意味のないそんな文章がいつまでも頭の隅《すみ》にこびりついているわけだ。こういうのは文章の徳と言ってもいいと思う。要するに広がりのある文章ですね。

たとえば小説なんかを書く時には、こういう広がりのある一行ではじめると、話がどんどんふくらんでいく。逆にどんなに凝った美しい文章でも、それが閉じた文章だと、話がそこでストップしてしまう。

それはともかくとして、こういう文章を読んでいると無性にビーフ・カツレツが食べたくなってくる。僕はビーフ・カツレツの素晴しさについては方々で書いているのだが、なかなかその良さが認められなくて（とくに関東はひどい）、まったく残念である。

いまだに「え？　牛肉をカツにしちゃうんですか。なんかまずそうだなあ」なんていう人がいる。したがって食堂車のメニューにもだいたいビーフ・カツレツは載っていない。無念である。

ビーフ・カツレツについて

前回食堂車とビーフ・カツレツの話をしたけど、そのつづき。

東京ではビーフ・カツレツがなかなかみつからないので、次善の策として僕はよくウィンナ・シュニッツェルを食べる。ウィンナ・シュニッツェルというのは、つまりウィーン風仔《こ》牛《うし》のカツレツのことである。

これは仔牛肉をビールびんで薄くなるまでたたいてころもをつけ、ひたひたのサラダ・オイルで片面ずつあげる料理である。トンカツみたいになみなみとした油であげるとおいしくない。

ウィンナ・シュニッツェルには他にも決まりごとがある。つまりあげた肉の上にレモンの輪切りをのせ、そのまんなかにアンチョビでまいたオリーブをのせる。それからケッパーも振る。熱いバターをかける。つけあわせは白いヌードル。これがきまりであって、これだけ揃《そろ》ってやっと「あ、ウィンナ・シュニッツェル！」と呼ぶことができる。

それではそういうのをぜんぶなしにして、ただ仔牛をカツレツにしてそのまま食べたらどうかというと、これはまあ気分的なものかもしれないけれど、あまり美味《うま》くない。なんだか

わたしの好きなものは……
ヌードルを添えたウィンナシュニッツエル

すごく捨てばちな味で、肉の薄さばかりがやけに気になるのである。

「サウンド・オブ・ミュージック」の「マイ・フェバリット・シングズ」という唄《うた》の中にも「私の好きなものは……ヌードルを添えたウィンナ・シュニッツェル」という歌詞がでてくるけれど、たしかにそのとおりである。逆に言えば、僕の嫌《きら》いなものはヌードルのついていないウィンナ・シュニッツェル、ということになる。

ビーフ・カツレツにはそういった細かい規則があまりない。それほど厚くない良い牛肉さえみつけてくれば、あとはトンカツと同じ要領であげればいいのである。とてもシンプルで、とてもおいしい。僕の好みのつけあわせは塩ゆでしただけのスパゲティーとクレソンのサラダである。いや、実にうまいんだから。

食堂車のビール

食堂車の話のつづき。

たとえメニューにビーフ・カツレツがなくても、食堂車というのはなかなかいいものです。なんというか、昔気質《かたぎ》の食堂といった雰囲気《ふんいき》がいい。食べはじめる前と食べ終えたあとで違う場所にいるというのも感じの良いものである。それからカタコト・カタコトという震動もよろしい。

食堂車には何かしら「かりそめの制度」とでもいうべき独特な空気が漂っている。つまり食堂車における食事は「つめこむ」ための食事でもないし、かといって「味わう」ための食事でもない。我々はその中間あたりに位置するぼんやりとした暫定的《ざんていてき》な想《おも》いをもって食堂車にやってくるのである。そして食事をとりながら、何処《どこ》かへと確実に運ばれていく。せつないといえば、かなりせつない。

食堂車のその「かりそめの制度」の中で僕がとくに気に入っているのは、朝からビールが飲めるということである。べつにどこのレストランでだって、朝からビールくらい飲めるのだけど、ちょっと頼みにくいし、だいたいあまり飲みたいという気にならない。

その点、食堂車では朝の十時ごろからけっこうみんなビールを飲んでいるから、ついこちらも飲みたくなって注文してしまう。それでまったく違和感がない。

実は今（といってもこの原稿が活字になるころにはずいぶん前になっちゃっているんだけど）、函館《はこだて》から札幌《さっぽろ》に向う特急の食堂車で、一人でビールを飲みながら遅めの朝食をとっております。ハムエッグとサラダとトーストと、それからビールである。このハムエッグのハムが、またすごく厚い。僕もいろいろ朝食を食べたけど、こんな厚いハムエッグははじめてである。

隣りのおじさんはカレーライスを食べながらビールを飲んでいる。窓の外は白一色で、目がちかちかする。カレーライスというのは他人が食べているとすごくおいしそうに見える。

旅行先で映画を見ることについて

前回のつづきになるけれども、三日間札幌にいた。べつに用事があったわけではなく、ついでがあったので一人でふらっと寄っただけである。

それで札幌で何をしたかというと、まずビヤホールに入って生ビールを三杯飲んで昼食をとり（北海道で飲むビールはなぜあんなにうまいんだろう?）、それから「ランボー」と「少林寺《しょうりんじ》」の二本立てを見た。次に夕食をとって、当然またビール。食後はジャズの店に入ってウィスキー。明くる日はまた映画館に入り、ウィリアム・ワイラーの「探偵《たんてい》物語」とビリー・ワイルダーの「サンセット大通り」、それから「炎のランナー」を見た。夜はまた酒。

なぜわざわざ札幌まで行って映画を見なければいけないのか、僕にもよくわからない。しかし僕は知らない土地に行くと不思議に映画が見たくなってくる。だからこれまでにも日本国中で実にいろんな映画館に入っていろんな映画を見た。知らない街の知らない映画館に入って映画を見ていると、映画が妙に体にしみてくる。これはたぶん映画の楽しさが本質的にせつなさと背中あわせになっているからではないかという気がする。

十八の年に受験勉強が嫌《いや》になって、神戸から船に乗ってふらっと九州に行った。それで熊《くま》

本《もと》に行って映画館に入り、ジェームズ・カーンの出ている「栄光の野郎ども」（良い映画だった）とロック・ハドソンの「目かくし」の二本立てを見た。映画館を出てふらふらしてると女の人が寄ってきて「ねえ五百円でいいんだけどやらない？」と言った。五百円というのは当時としてもちょっと安すぎてヤバいので断り、またべつの映画館に入った。東映の映画館で、たしか料金が五百円くらいだった。それで「世の中ってなんか変なものだな」と思ったのを覚えている。僕はその頃《ころ》恋をしていたので、映画を見るのと同じ料金でセックスができるなんて、うまく信じられなかったのである。

　それはそうと札幌には十軒の映画館がまとまって入ったビルがあって、これは凄《すご》いね。

ビリー・ワイルダーの「サンセット大通り」

前回のつづきで映画の話。(どうでもいいことだけどこのコラムの通しタイトルは「前回のつづき」にすればよかったな)

僕は実は早稲田《わせだ》大学文学部の映画演劇科というところに入っていて、映画の勉強をしていた。しかしだからといってとくに映画にくわしいとか、そういうことはない。また他人に比べて映画をより良く理解できるかというと、そんなこともない。そう考えると大学教育というのはあまり意味がないみたいだ。

しかし早稲田の映画科に入って良かったのは、殆《ほとん》ど勉強しなくてすんだことである。映画科にも一応「エイゼンシュタインのモンタージュ論」を英語で読むとかそういう講義があって、それはそれで予習したりしなきゃいけないんだけど、学生の方には「けっ！　理論やったって映画なんかわかるか」という思いがあるから、根本的には勉強しない。それで何をするかというと、授業サボッて朝から名画座で映画を見る。

授業をサボるといっても映画科の学生が映画を見るんだから、これはれっきとした勉強である。文句のつけようがない。

というようなわけで、学生時代には本当にいっぱい映画を見た。一年に二百本以上見た。当時はまだ「ぴあ」なんて雑誌はなかったから、見たい映画をさがしたり映画館をみつけだしたりするだけで一苦労だった。

映画を見る金がなくなると早稲田の本部にある演劇博物館というところに行って、古い映画雑誌に載っているシナリオをかたはしから読んだ。シナリオを読むのは一度慣れてしまうととても面白《おもしろ》いものである。

見たことのない映画だと、そのシナリオに沿って、自分の頭の中で自分だけの映画を作りだしていけるからだ。前回書いたビリー・ワイルダーの「サンセット大通り」も僕にとってはそんな一本である。だからはじめて見た映画なのに、なんだかすごくなつかしかった。

蟻について(1)

蟻《あり》というのは偉い動物である。お世辞抜きで偉いと思う。僕《ぼく》は昔から蟻を眺《なが》めるのが好きで暇があるとよく観察するのだが、先日も家の近くでバスを待っていたら、足もとに一所懸命巣を作っている蟻の群がいたので、十五分くらいじっと眺めていた。御存じのように蟻という動物は地中に穴を掘って巣を作るわけだが、穴を掘るときに問題になるのは掘った土をどうやって地上に運び出すかである。これは映画「大脱走」をごらんになった方ならわかると思うけれど、けっこう厄介《やっかい》な問題である。それでは蟻はこれをどう解決するのかというと、これが何しろ単純な話で、蟻がみんな一粒ずつ砂を前足で抱えて地上に運び出すわけだ。なかなか大変な労働だとは思うけれど、蟻というのは働くのが商売みたいなものだから、これはまあいいとする。

僕が偉いと思うのはその砂粒の置き方である。どういうことかというと、地上まで砂粒を運んできた蟻は決してその砂粒を手近なところにひょいと放り出して引きあげたりはしないのである。そんなことをしたら巣の入口のまわりに砂山ができちゃっていろいろと困ったことになるということが、蟻にはちゃんとわかっているのである。だから蟻は穴を出て三十セ

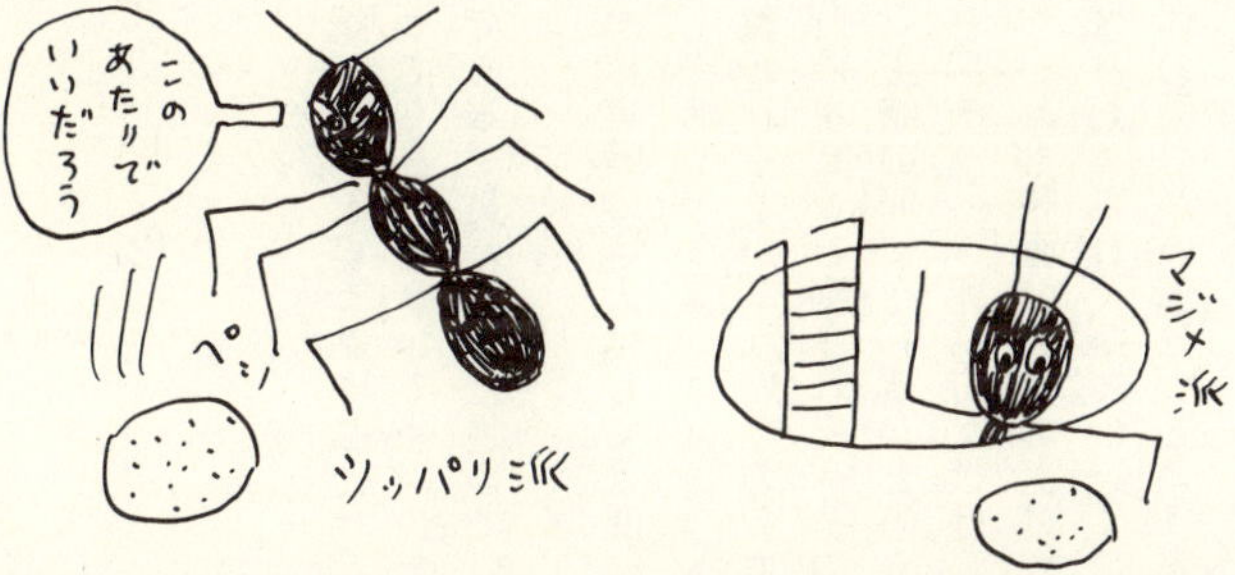

ンチか五十センチくらい歩き、適当なところを見はからって砂粒を置き、また穴の中に戻《もど》っていくのである。その「見はからって」という感じが蟻の後姿ににじみ出ていて、傍《そば》で見ていて好感が持てる。

しかし全《すべ》ての蟻がそうというわけではなく、中には入口の横にペッと砂粒を放り出していくようなツッパッたのもいたりする。蟻の世界も人さまざまである。でも考えてみれば、誰《だれ》も彼もが砂粒を遠くまで運んでいかなきゃいけないということはないわけで、まんべんなく砂をばらまくという観点から見れば、入口の近くにひょいと砂を捨てていくのがいてもちっとも構わないのである。蟻の一匹一匹がそういう状況判断を逐次やりながら働いているんだとしたら、やはり蟻はすごい。

蟻について(2)

前回、蟻は偉いという話をしたけれど、その反面蟻という動物はじっと見ているとだんだん恐《こわ》くなってくる。どうして恐いかというと、彼らが穴の中に住んで、集団行動をして、無口だからである。長いあいだ眺めていても、蟻がいったい何を考えているのかまるでわからない。

昔、蟻が核実験で巨大化して人間に襲いかかる「巨大蟻のなんとか」という映画があったけれども、そういうシチュエーションってもう想像するだけでおそろしい。これがライオンの群れに襲われるとかそういうのであれば観念のしようもあるのだけれど、巨大な蟻に襲われてしびれ液をピッと刺されて、そのままずるずると暗い穴の中にひきずりこまれ、ぬめぬめとした女王蟻の餌《えさ》にされるかと思うと、僕は心の底からおそろしいと思う。死ぬのは仕方ないけれど、そういう死に方だけはしたくない。

それからこれも映画で見たのだけれど、アフリカの原住民につかまって体の柔らかい部分に蟻蜜《ありみつ》を塗りたくられ、蟻塚《ありづか》の近くに縛りつけられるというのもあった。

この「体の柔らかい部分」という表現が、もうなんというか、実にすごい。蟻がよってた

かってその柔らかい部分を「ちょっぷ、ちょっぷ」と食べていく様がリアルに想像できる。これもこれでなかなかこわい。こういう死に方も絶対にしたくない。体の柔らかい部分を蟻に食べられるなんて嫌《いや》だ。

僕の子供の頃《ころ》はそういう類《たぐい》のゲテモノ映画がけっこう沢山あった。その手の映画はだいたい場末の二番館・三番館で観《み》るわけだが、結果的には小綺麗《こぎれい》なロードショー館で観るより雰囲気《ふんいき》があっていて、なかなか良いものである。

この他《ほか》にも、「毒蜘蛛《どくぐも》タランチュラ」とか、そういう核実験巨大生物ものがいくつかあった。巨大蜘蛛というのも体に毛がいっぱいはえていて、感触的に気持の悪いものである。巨大蜘蛛の巣にひっかかるというのも、嫌な死に方のひとつと言っていいと思う。

とかげの話

前回、前々回としつこく蟻の話を書いたけれど、今回はとかげの話。

僕のうちはわりに（というか、かなり）田舎にあるので、まわりにとかげがいっぱい住んでいる。とかげというのは外見からしてあまり人に好かれるタイプの動物ではないけれど、べつにこれといって人間に害を与えるわけでもないし、虫を食べてくれるし、よく見ているとちょっとシャイなところもあって、決して悪い性格のものではない。

しかしうちで飼っている二匹の猫《ねこ》はとにかくとかげいじめが三度のメシよりすきで、何かというととかげをいたぶって遊んでいる。とかげの方はいたぶられるのはたまらないから、すぐに尻尾《しっぽ》を切って逃げる。自然界というのは実にミステリアスなもので、猫は十回のうち十回までとかげの本体を追いかけず、切られた尻尾の方に拘泥《こうでい》してしまう。どうしてなのか理由はわからないけれど、猫は切られてピクピクと動いている尻尾の魅力には絶対に抗しきれないのである。そのようにしてとかげは生きのびるわけだ。

だから僕はつい最近までとかげは偉いと思っていたのだけれど、このあいだ科学雑誌を読んでいたら、とかげはとかげでなかなか辛《つら》いのだという記事が載っていた。

どういうことかというと、尻尾を失《な》くしたとかげは仲間うちでかなりいじめられるらしいのである。尻尾のないとかげは尻尾がないというだけで馬鹿《ばか》にされて縄張りも半分くらいに削られ、雌にも相手にされず、尻尾がきちんと生え揃《そろ》うまでものすごく暗い生活を送ることになる。

こういう記事を読むと、とかげというのは本当にかわいそうな動物だと思う。尻尾が失くなれば仲間うちでいじめぬかれることがわかっていても、なおかつ尻尾を切って猫から逃げねばならぬという哀《かな》しい性《さが》は、とかげとか人間とかいったジャンルをこえて切ない。これからは冗談で尻尾をひっぱったりするのはやめて、もっと暖かい目でとかげを見守ってやりたい。

毛虫の話

蟻の話をして、とかげの話をして、今回は毛虫の話です。気持の悪くなりそうな方は読まないで下さい。

うちの近くには桜並木が多くて、春はとても綺麗《きれい》なのだが、そのかわり五月六月になると驚異的に毛虫が多くなる。そうなる前にこまめに殺虫剤をまいておけばいいのに、僕の住んでいる船橋《ふなばし》市というところは自慢じゃないけれど行政がものすごくヤクザなところで、初夏になって毛虫が出揃《でそろ》ったかなという頃《ころ》になって一斉《いっせい》に殺虫をやる。だから当然町じゅうが毛虫の死体だらけになる。これは見たことのない人には想像もつかないと思うけれど、実におぞましい光景である。

僕は昨年の夏、朝の六時ごろに散歩していて、その殺虫剤散布車にでくわした。引越してきてはじめてのことだったので何をやっているのかよくわからず、桜並木の下をぶらぶらと歩いていたら、頭の上から桜吹雪みたいに白いものがバラバラと落ちてきた。いったい何だろうと思ってよく見ると、これが毛虫なのである。何万という数の毛虫が、ジュウタンがよじれるみたいな感じで道の上でのたうちまわり、その上にあとからあとから毛虫が舞い下り

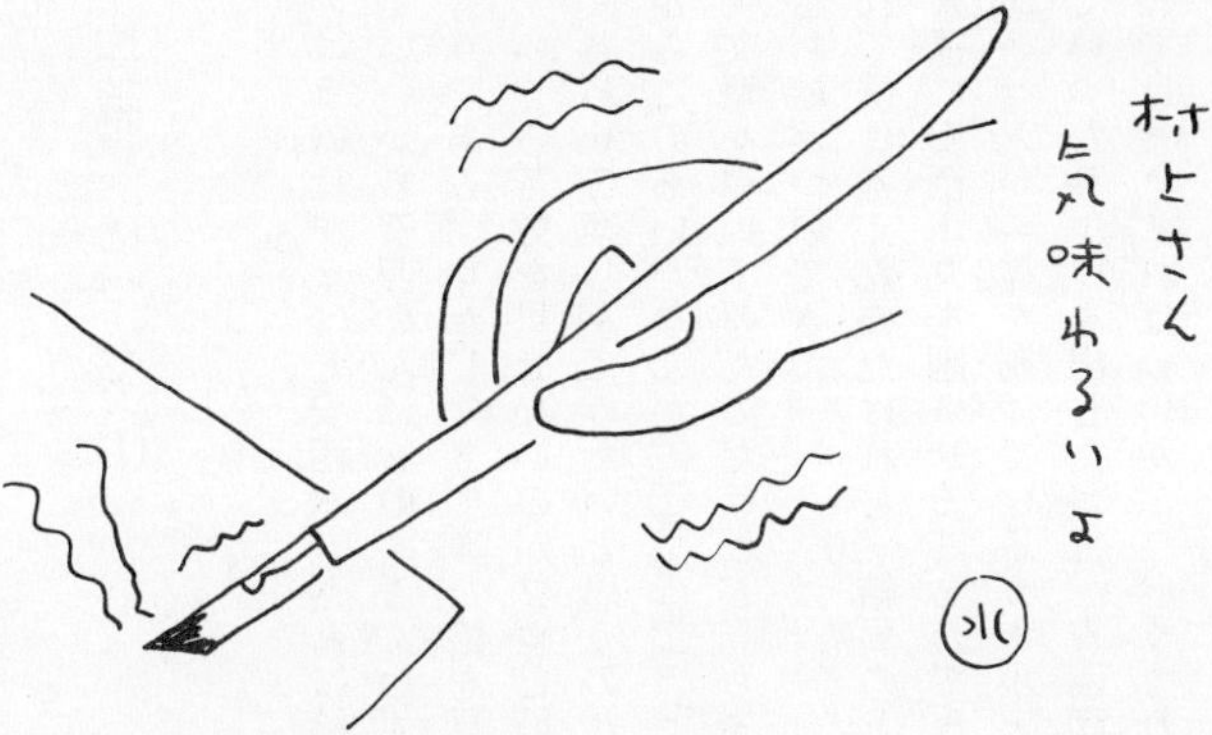

ているのである。

僕は声を大にして言いたいのだけど、こういう無茶苦茶な作業を何の予告もなしに突然やられてはとても困るのだ。朝起きて外に出てみたら道が毛虫でいっぱいになっているなんて、これではまるでパニック映画ではないか。どうして前日に広報車か何かで「明朝殺虫剤散布しますので毛虫に気をつけて下さい」と言うくらいのことができないのか？

それから、それとはべつにうちのむかいの草むらを市が殺虫した時は、大小何百匹という毛虫が道を越えてうちの庭めがけて突進してきて、この時も本当に気味悪かった。

毛虫の嫌《きら》いな人はくれぐれも船橋市には住まない方がいいと思う。ピーナツバターだけはとてもおいしいけどね。

「豆腐」について(1)

このコラムはずうっと安西水丸さんに絵を描《か》いてもらっているわけだけれど、僕としては一度でいいから安西さんにものすごくむずかしいテーマで絵を描かそうとずいぶん試みてきたつもりである。しかしできてきた絵を見ると、まるで苦労のあとというものが見うけられない。いくら苦労を見せないのがプロといわれても、少しくらいは「弱った・困った」という目にあわせて楽しんでみたいと思うのが人情である。

だからこのあいだなんか、「食堂車でビーフ・カツレツを食べるロンメル将軍」というテーマで文章を書いてみたのだけれど、ちゃんとビーフ・カツレツを食べている、ロンメル将軍のさし絵がついてきた。

それで僕は考えたのだけれど、結局のところ、むずかしいテーマを出そうかと思うから、僕は永遠に安西水丸を困らせることができないのである。たとえば「タコと大ムカデのとっくみあい」とか「髭《ひげ》を剃《そ》っているカール・マルクスをあたたかく見守っているエンゲルス」なんていったテーマを出したって、安西画伯はきっと軽くクリアしちゃうに違いない。

それではどうすればいいか？　どうすれば安西水丸を困らせることができるか？　答はひ

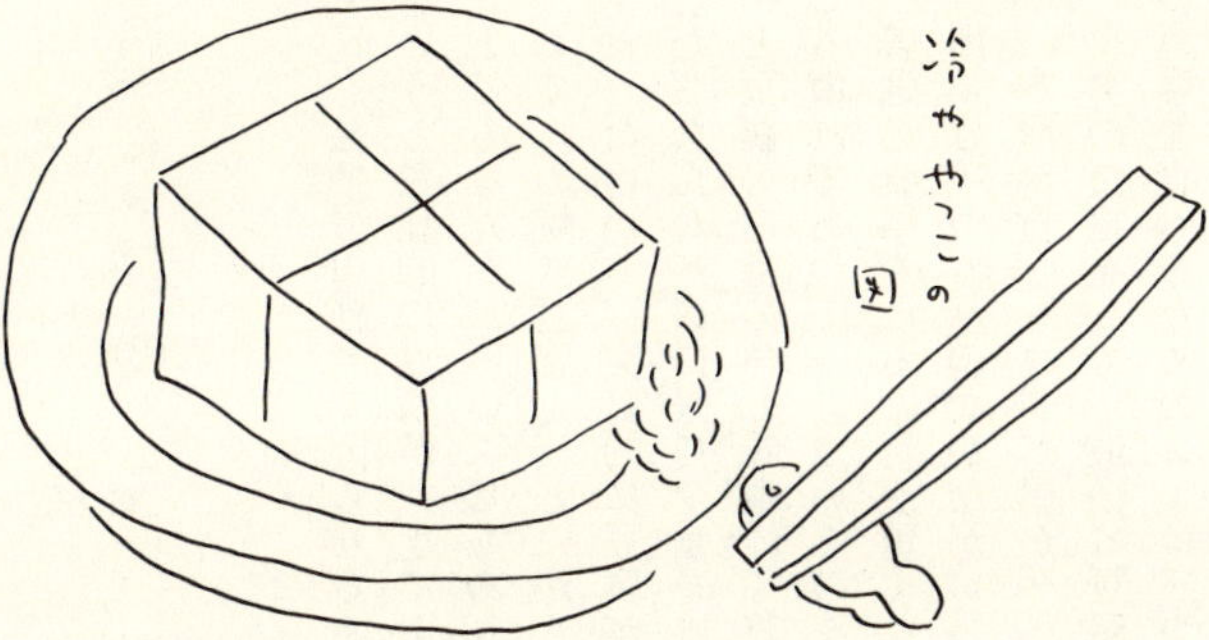

とつしかない。単純性である。たとえば豆腐とかね。

新宿の酒場にとてもおいしい豆腐を出すところがあって、僕はそこにつれていってもらった時、あまりのおいしさに豆腐を四丁たてつづけに食べてしまった。しょうゆとか薬味とか、そういうものは一切かけずに、ただまっ白なつるりとしたやつをぺろっと食べちゃうわけである。本当においしい豆腐というのは余計な味つけをする必要なんてなにもない。英語でいうとsimple as it must beというのかな。これは中野の豆腐屋さんが料理屋向けに作っている豆腐ということだが、最近はおいしい豆腐がめっきりと減ってしまった。自動車輸出もいいけど、おいしい豆腐を減らすような国家構造は本質的に歪《ゆが》んでいると僕は思う。

「豆腐」について(2)

安西水丸氏を絵柄《えがら》の単純さで困らせるために豆腐の話をつづける。

僕《ぼく》は実をいうと熱狂的に豆腐が好きである。ビールと豆腐とトマトと枝豆とかつおのたたき（関西だとはもなんかがいい）でもあれば、夏の夕方はもう極楽である。冬は湯どうふ、あげだし、おでんの焼き豆腐と、とにかく春夏秋冬一日二丁は豆腐を食べる。うちは今のところ米飯を食べないから、実質的に豆腐が主食のようなものである。

だから友だちなんかが家に来て夕食を出すと、みんな「これが食事！」と絶句する。ビールとサラダと豆腐と白身の魚と味噌汁《みそしる》で終っちゃうわけだからね。しかし食生活というのは結局のところ慣れであって、こういうのを食べつけていると、これが当然というかんじになってきて、普通の食事をとると胃が重くなってしまう。

うちの近所には手づくりのなかなかおいしい豆腐屋があって、とても重宝していた。昼前に家を出て、本屋か貸しレコード屋かゲームセンターに行き、そば屋かスパゲティー屋で昼食をとり、夕食の買物をして、最後に豆腐を買って帰るというのが僕の日課であった。

おいしい豆腐を食べるためのコツは三つある。まずひとつはきちんとした豆腐屋で豆腐を

大村益次郎と
いう人も
豆腐が
好きだったと
いうことです
わたしは
湯豆腐が
特に好きだ
ぼくも
好きです
水丸

買うこと（スーパーは駄目《だめ》）、もうひとつは家に帰ったらすぐに水をはったボウルに移しかえて冷蔵庫にしまうこと、最後に買ったその日のうちに食べちゃうことである。だから豆腐屋というのは必ず近所になくてはならないのである。遠くだといちいちこまめに買いにいくことができないからね。

ところがある日僕がいつものように散歩のついでに豆腐屋に寄ってみると、シャッターが下りていて、「貸店舗」という紙が貼《は》ってあった。

いつもにこにこと愛想のよかった豆腐屋一家は突然店を閉めて、どこかに去ってしまったのである。これからの僕の豆腐生活はいったいどうなるのだろうか？

「豆腐」について(3)

パリの主婦はパンの買い置きをしない。食事のたびごとに彼女たちはパン屋に行ってパンを買い、余れば捨ててしまう。食事というのは誰《だれ》がなんといおうとそういうものだ、と僕は思う。お豆腐だってそうで、買ったばかりのものを食べる、宵越《よいご》しの豆腐なんか食えるか、というのがまともな人間の考え方である。めんどうだから宵越しのものでも食べちゃおうという精神が防腐剤とか凝固剤とかいったものの注入を招くのである。

お豆腐屋さんだってそう思うからこそ、朝の味噌汁《みそしる》に間にあうようにと、朝の四時から起きて一所懸命おいしい豆腐を作っているわけなのだが、みんな朝はパンを食べるとか（うちもそうだ）スーパーの防腐剤入りのもちの良い豆腐を使っちゃうとかだから、お豆腐屋さんの方だってはりがなくなってしまうのだろう。だから本格的なきちんとした豆腐屋が町から一軒一軒と姿を消していく。

だいたい今どき、朝の四時に起きて働こうなんていう殊勝な人は、いなくなっちゃったものね。残念である。

豆腐といえば子供のころに京都の南禅寺《なんぜんじ》あたりで食べた湯豆腐がなんともいえずおいしか

った。今では南禅寺の湯豆腐も「アンノン」風にすっかり観光化されてしまったけれど、昔は全体的にもっと素朴《そぼく》で質素な味わいがあった。

父親の家が南禅寺の近くにあったので、疏《そ》水《すい》に沿ってよく銀閣あたりを散歩し、それからそのへんの豆腐屋の庭先に座って、ふうふう言いながら熱い豆腐を食べた。これはなんというか、パリの街角のクレープ屋台にも似た庶民のための素朴な精進料理である。

だから最近のコースにして五千円なんていうのは、なんだかおかしいんじゃないかと思う。だってたかが豆腐じゃないですか？

たかが豆腐、というところで、豆腐はぐっとふみとどまってがんばっているのである。僕はそういう豆腐のあり方がとても好きである。

「豆腐」について(4)

豆腐のいちばんおいしい食べ方とは何か？　と暇なときに一度考えてみたことがある。答はひとつしかない。情事のあとである。

えーと、これははじめにきちんとことわっておくけれど、全《すべ》て想像である。本当にあったことではない。経験談だと思われるとすごく困る。仮定の話である。

まず昼下がりに町を散歩していると、年の頃《ころ》は三十半ばの色っぽい奥さんが「はっ」と息をのんで僕の顔を見るのである。「なんだろう」と思っていると、その人のつれていた五つくらいの女の子が僕のところに駆けよってきて、「お父さん」なんて言う。よく話を聞いてみると、去年亡くなったその人の御主人が僕にそっくりだったらしいのである。

その人は、「これこれ、その人はお父さんじゃありませんよ」と女の子に言うんだけど、女の子の方は、「お父さんだ——い」と言って、僕の手を放さない。

でも僕もこういうの嫌《いや》じゃないから、「それではしばらくのあいだお父さんになってあげよう」なんて言っちゃったりして、みんなで公園で遊んでいるうちに女の子が疲れて寝てしまう。

こうなるとあとはもうコースみたいなもので、当然僕は二人の家まで送っていくついでにその未亡人とできちゃうわけである。で、事が終ると夕方で、家の外をちりんちりんと豆腐屋の自転車がとおりかかり、女は髪のほつれをなおしながら「おとうふやさーん」と声をかけて、絹ごし豆腐を二丁買い、一丁にねぎとしょうがをそえて、ビールと一緒に僕に出してくれる。それで、「ちょっととりあえずお豆腐で飲んでて下さいね。今お夕食の仕度しますから」などと言うわけである。

　こういうとりあえずの豆腐の色っぽさというのはなんともいえずいい。しかし僕にそっくりの男と結婚していた色っぽい未亡人を探すところから始めないと話にならないなあ、なんてややこしいことを考えているうちは浮《うわ》気《き》なんてできないだろうなあ。

辞書の話(1)

世の中にはいろいろとむずかしいことが多いけれど、辞書・辞典・地図帳・地球儀の類《たぐい》を買いかえるというのも、考えてみれば相当にむずかしい作業である。たとえば地図ひとつとってもも十五年前のものと今のものとではずいぶん違っている。ヴェトナムにしたって十五年前ではまだ南北にわかれている。アラブ首長国のあたりでもいくつか国名が変っているはずである。しかしだから地図帳をすぐに買いかえるかというと、そういうわけでもなくて、古いものをずるずると使っていたりする。だいたいが世界地図なんてそんなにしょっちゅう使うものでもないし、ヴェトナムやアラブの隅《すみ》の小さな国をとくにくわしく調べるという機会は、幸か不幸か殆《ほとん》どめぐってこないからである。

地図帳でさえそうなんだから、五十冊セットの百科事典ともなると、一生のうちに何度か買いかえるなんていうマメな人がそんなに沢山いるとは思えない。百科事典の出版社が経営不振になるというのもわかるような気がする。

僕は翻訳の仕事をする時は大・中・小の三種類の英和辞典と二種類の英英辞典を机に並べて場合場合で使いわけているが、そのうちのひとつに研究社の「新簡約英和」というのがあ

る。これは高校に入学した時に買ったもので、以来二十年近く使っていて、とてもよく手になじんでいる。

ただ困ったことにこの辞書はまんなかあたりでページが四ページ欠落しているのである。これは辞書が悪いのでなく僕が不注意で失《な》くしちゃったのだ。それでいつも同じ辞書を新しく買わなくちゃなと思うのだけれど、「しかしまあ二千百五十ページのうちの四ページ欠けているだけだから」とうやむやにしているうちに欠けていることをすっかり忘れてしまい、何カ月かに一回「あ、そうだ、ここんところなかったんだ！」ということになるのである。

べつにお金をケチッているわけではないのだけれど、辞書を買いかえるというのは、本当に勇気がいる。

辞書の話(2)

辞書にはよくさし絵が入っている。僕はあのさし絵がとても好きである。さし絵とはいってもあれはべつに読者を楽しませるために入っているのではなく、あくまでも語句の意味を読者に正確に伝えるためのものである。

たとえば研究社の「新簡約英和」でいうと pergola というのがあって、これは「つるだな・あずまや」とある。しかしこれだけではイメージがいまひとつ明確ではない。そこでそのよこに実際に pergola の絵が描《か》いてあるわけだ。この絵を見ると柱が丸く、つるだなの下にはベンチがあって、床が石敷であることがわかる。ベンチには若い男女が腰かけて両手を握りあっている。男の方がどちらかというと積極的だが、女もとくに嫌《きら》いな方ではないらしく、なんとなく目でこたえている。「ねえ、変なことしないからさ、一緒に横にならない？」という雰囲《ふんい》気《き》が漂っている。

そういう雰囲気が pergola 固有のものなのかどうかはよくわからないけれど、とにかく辞書の絵というのは楽しい。

それではいっそうのこと辞書をぜんぶ絵にしちゃったらどうかという発想でできたのがオ

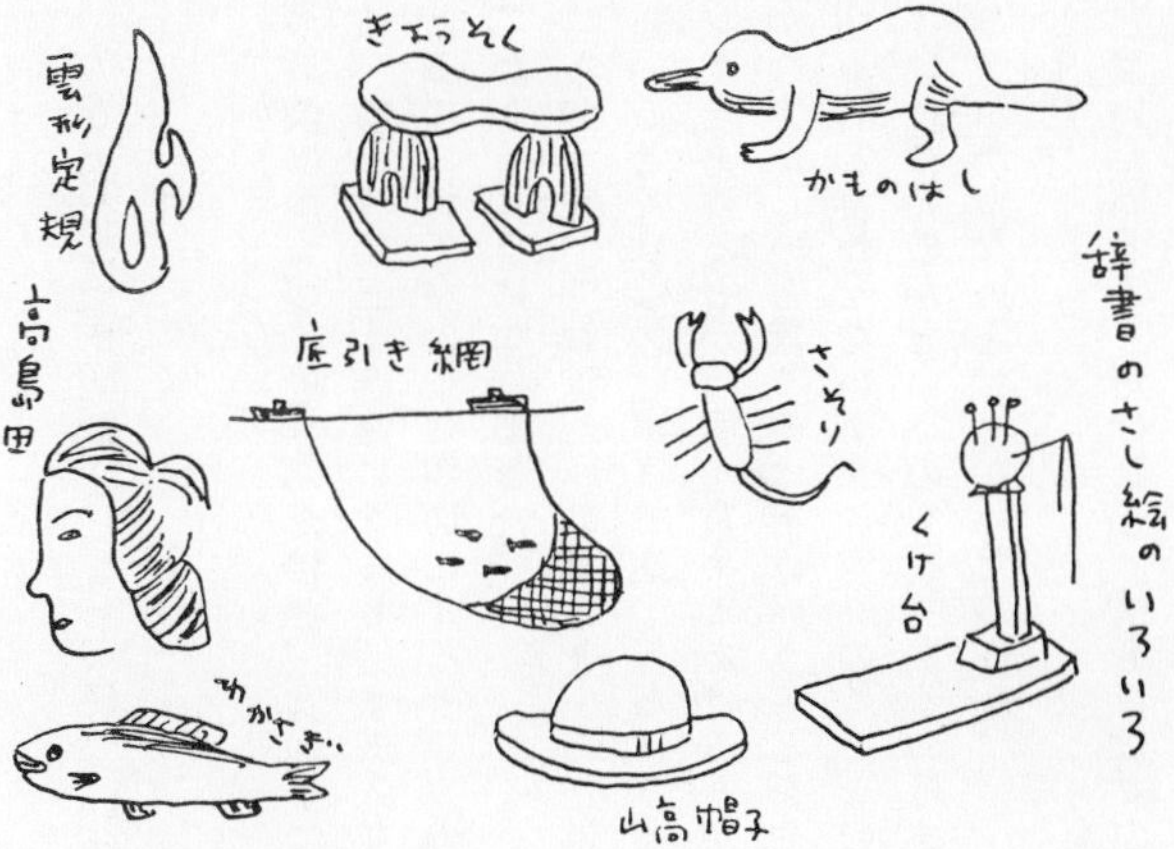

ックスフォード・ドゥーデンの「図解英和辞典」（福武書店）で、僕も先日買ってきたばかりなのだけれど、これはパラパラとページをめくってみるだけで相当に楽しい本である。

部分的にはかなりナウいところもあって、ディスコ図解・ヌーディストクラブ図解なんていうのまでちゃんとのっている。すごいでしょ。

もっとすごいのは318ページの「ナイトクラブ」編で、このイラストはどうみても湯村輝彦風である。それから今brassièreをとったばかりのStripperを食い入るように眺《なが》めているスケべそうな顔つきの客はどうみても糸井《いとい》重里《しげさと》である。嘘《うそ》だと思う人は書店で立ち読みして確かめて下さい。ちなみにイラストレーターはJOCHEN SCHMIDTというれっきとした外国の人みたいです。

女の子に親切にすることについて

最近僕《ぼく》はつくづく思うんだけど、女の子に親切にするというのはすごくむずかしいことである。僕は今年三十四歳になるし、まあ人並に女の子につきあってきたと思うんだけど、年をとるにつれて女の子に親切にするというのがどれくらいむずかしいかというのが、身にしみてわかるようになってきた。

いちおう断っておきたいのだけど、ただ単に女の子に親切にするというのはそれほどむずかしいことではない。家まで送ってあげるとか、荷物を持ってあげるとか、気のきいたプレゼントをあげるとか、服を賞《ほ》めてあげるとか、そういうのはべつに高校生にだってできる。僕がむずかしいと言うのはそういうことをやりながら、それでいて相手に「ハルキさんって親切ね」と言わせないテクニックのことなのである。どうして女の子に「親切ね」と言わせちゃいけないのかというのを説明するのはすごくむずかしい。このへんの感じは年をとらなくちゃわからないんじゃないだろうか。

どーだ!!

と言いたいところだけれど、僕も昔は女の子に親切にしようとしてそれで失敗ばかりして

いた。今でもよく覚えているのは十七歳のときのことで、その頃《ころ》僕は毎日阪急電車で神戸にある高校に通っていたのだが、ある朝阪急芦屋《あしや》川《がわ》駅で紙袋を電車のドアにはさまれて困っているとてもかわいい女子高生をみかけた。こういうチャンスを見逃す手はない。それですぐにとんでいって「ひっぱってあげましょう」「あら、どうも」ということになって、そこまではよかったんだけど、僕が思いきりひっぱったら紙袋がふたつに裂けて中身が線路の上にちらばってしまった。こういうのはすごく困る。それ以上親切のやり場がないのである。それで「あー、うむ、どうも、ごめんなさい」と言って、あとは駅員にまかせて逃げてしまった。

もう十七年も前のことになるけど、あの時の甲南女子高校の女の子、本当にごめんなさい。悪気はなかったのです。

フリオ・イグレシアスのどこが良いのだ！(1)

僕のまわりにはどういうわけか面喰《めんく》いの女の人が多い。僕としては三十すぎて亭主《ていしゅ》持ちで何が面喰いだよと思うんだけど、気が弱いからそういうことは口に出せない。心で思うだけである。

僕はこういう女の人たちをフリオ症候群と名付けている。

某《ぼう》出版社で僕の担当をしている女性もフリオ病患者の一人である。この人はフリオの前はイブ・モンタンのファンで、モンタンが日本へ来た時には病いに臥《ふせ》っている御主人のキャッシュカードから黙って二万円引き出して、切符を買って一人でコンサートに行って、「もう亭主なんかどうなってもいい」と感涙にむせんだというすごい人である。それで、たぶんそうなるんじゃないかと心配していたのだけれど、この人が最近案の定フリオ・イグレシアスのファンになった。

「ねえ、村上さんね、フリオの年収って何百億で、自家用飛行機も持っていて、別荘なんか一ダースくらいあって、世界じゅうに何十人って恋人がいて、それですごいインテリなんですよ。どう、うらやましいでしょ？」とその人は言う。

あまりに環境が違いすぎて、そんなの聞いてもうらやましくもなんともない。世界じゅうに何十人も恋人がいたら、名前を覚えるだけでも骨である。僕なんか女房《にょうぼう》一人しかいなくても寝言で昔の恋人の名前言っちゃうんじゃないかとヒヤヒヤしてるくらいなのに、フリオはよくやってると思う。マメなんだね、きっと。

彼女もしフリオに言い寄られたらあやうくなっちゃうんだそうである。それでフリオの何十分の一かの恋人になって、年に五千万円くらいお手当をもらうんだそうである。でも年に五千万円も使い切れないから、そのうち一千万円くらいは今の御主人に送金してあげるんだそうである。こういうのは貞女と言っていいのかどうか、僕にはよくわからない。世の中一般の主婦が何を考えて生きているかというのは僕の想像力の埒外《らちがい》にある。

フリオ・イグレシアスのどこが良いのだ！(2)

どうしてフリオ・イグレシアスがあれほどまで熱烈な人気を博しているかというのは一考の価値のある問題である。もちろんルックスのせいもある。あれは典型的なラテン系ジゴロの顔だからね。それから馬鹿馬鹿《ばかばか》しいくらい大規模な宣伝のせいもある。しかしなんといってもフリオの成功の秘訣《ひけつ》は、彼が思想的に百パーセント空っぽであることにつきるのではないかと僕は思う。

もちろんフリオの他《ほか》にも思想的に空っぽなんじゃないかと推測される大歌手はいっぱいいる。フランク・シナトラにしても美空ひばりにしてもそれほど高邁《こうまい》なメッセージを有しているとは思えない。しかしそれにもかかわらず彼らの唄《うた》には、ごく自然にたくまざる何かがにじんでいるのである。それに比べるとフリオの場合は、頭からっぽ――→唄からっぽ、というあの年齢の歌手としては驚くべき彼岸の境地に達しているわけで、このへんの明快さが中年女性に「いいとも！」というかんじで受け入れられているのではないだろうか。

こういう傾向が良いことなのか悪いことなのか、僕にはよくわからない。たぶんたかが音楽なのだから良くも悪くもないのだろう。「コルトレーンわかんなきゃダメだよ」なんて言

う人間がうろついていた時代に比べれば、能書《のうがき》のないぶんだけそれはそれで良いのかもしれない。みんなそれぞれ自分の好きな音楽を聴いていればいいのだ。

しかし僕の個人的な感想を言えば、あのフリオ・イグレシアスという人間は実に不快である。僕のこれまでの経験によると、あの手ののっぺりした顔だちの男にロクなのはいない。財布を拾っても交番に届けないというタイプである。ああいうのは五年くらい戸塚《とつか》ヨット・スクールに放りこんでおけばいいと思うのだけど、きっと要領がいいから途中からコーチなんかになって他人をなぐる方にまわるに違いない。そういう男なのだ。

僕はそんな風に言うとフリオ症候群の女性は「ま、村上さんはそう思うでしょうね」と悪意にみちた言い方をする。そう言われると、なんだか僕がことさら二枚目を嫌《きら》っているみたいである。

「三省堂書店」で考えたこと

先日神田の三省堂《さんせいどう》書店で本を買っていたら、同じレジで僕の書いた本を買っている女の子がいた。この人は二冊本を買っていて、一冊が僕の本だった。もう一冊が何だったか、その時は覚えていたんだけれど、今どうしても思い出せない。本の著者というのは自分の本が他のどんな種類の本と組みあわせて買われているのかということに対して、すごく興味があるものなのである。だからその仮の隣人の名を思いだそうと努力しているのだけれど、どうしても思いだせない。変なものだ。

変といえば書店で自分の本が買われている光景を見るというのもかなり変なものである。僕が最初に小説を書いた頃出版社の人に「自分の本を買っている人を書店でみかけるようになったら、それはベストセラーだと思って間違いないです」と言われたことがあって、はー、そんなものかな、と感心したのを覚えている。なんだかゴキブリか白蟻《しろあり》みたいな話だ。もっとも僕はそれほどしょっちゅう書店に出入りする人間ではないので、そのような光景を目にしたのははじめてのことだった。

正直に言うと、自分の本が買われているのを見るのは、それは嬉《うれ》しい。本というのは読ん

でもらわなくちゃ話にならないわけで、本が売れて腹を立てるような作家はまずいないはずである。しかし手ばなしで嬉しいかというとそういうこともなくて——気どるわけではないのだが——そこには何かしらの切なさが残るのである。これはなんというか、たとえが悪いかもしれないけれど、自分のヌード写真が載った雑誌が買われていくのを眺《なが》めている女の子の心境に似ているんじゃないかと僕は思う。

ところで僕の知ってる女の子も何人か男性誌のピンナップに載った。え、あの子が！という人まであっさりと脱いじゃっている。もっとも僕は彼女たちのヌード写真そのものを見たことはない。というのはその雑誌が出てから三カ月くらいたってやっと「実は私ねえ……」と本人が明かしてくれるからである。そういうのはちょっとないんじゃないかと僕は思う。

「対談」について(1)

日本の雑誌には実に対談が多い。僕は外国の雑誌では「ローリング・ストーン」と「ニューヨーカー」と「エスカイヤ」と「ライフ」といったあたりにだいたい目をとおしているけれど、僕が覚えている限りではこういう雑誌で対談をみかけたことはない。一度くらいあったのかもしれないけれど、ぜんぜん印象に残ってないくらいだから、なかったのと同じである。

ではどうしてアメリカでは対談という形式があまり用いられず、その一方日本では爆発的に流行しているのだろう？ これはあくまで僕の想像なのだけれど、アメリカで対談というジャンルがないのは、それだけアメリカ人が対話にたいしてシビアだからではあるまいか。だから日本人の場合みたいに相手の言っていることがもうひとつピンとこなくても、「うん、そういうのもわかるような気がするなあ」

なんてお茶を濁さずに、もっとつっこんで、

「貴君の言わんとすることを具体例を示しながら、もっときちんと説明して頂きたい」

といった具合になるだろうし、そうなるとエンエンと話が長くなって雑誌のページにおさ

アメリカ人の対談風景

まりきらなくなっちゃいそうである。そういう点、日本人はやはり器用で、雑談が一段落すると「じゃ、このあたりで一応結論らしきもの出しときましょうか」「そうですね」なんて感じで結構ピタッと終っちゃう。まさにあうんの国民性である。

もうひとつ日本人的なのが対談ゲラの赤字入れというやつで、つまり話したことをあとで訂正するわけなのだけど、先にどちらか一人が自分のパートを訂正し、その次にもう一方の人が先方にあわせて自分の科白《せりふ》を訂正するのである。このへんの呼吸もむずかしく、「あ、お先に」「そうですか、じゃあ」となるわけだけれど、まあ考えてみるとこんなに微妙なややこしいことがアメリカ人にできるわけないよ。日本の特産品はトヨタとパナソニックだけではないのだ。

「対談」について(2)

前回どうして日本の雑誌に対談が多く、アメリカの雑誌に少ない——というか殆《ほとん》どない——かという理由を書いたのだけれど、そのつづき。

現実的なことを言うと、対談のギャラというのはそんなに高くない。老大家のことはわからないけど、僕《ぼく》程度のクラスだとかなり安い。そのかわりわりに良い食事をさせてもらえる。良い食事というのは、自分で金を払ってまでは食べる気がしないなという食事のことである。酒も出る。飲みたりない人の場合は二次会というのもある。そういうのでギャラの低いのを補うようなわけである。

出版社の人に言わせると、古来作家はだいたい貧乏なものであって、対談の時でもなきゃ美味《うま》いものは食えないのだから、これはたまには作家にも贅沢《ぜいたく》もさせてやろうという編集者サイドの親心なのだ、ということである。

そういうのを聞くと、そーか、ふむ、親心であるのか、と椎名誠《しいなまこと》風に感心しちゃうわけだけど、それでも僕なんかやはり食事はビールと天ザルくらいでいいからもっとギャラほしいよと思う。それに親心とは言いながら編集者だって結構一所懸命食べてるじゃないですか。

村上朝日堂

とぶつぶつとグチを書きつつ思ったのだけど、この雰囲気《ふんいき》は実に「お見合」にそっくりなのである。ちょっと高級なレストランか料理屋の個室で初対面の二人を編集者＝仲人《なこうど》がひきあわせ、雑談などをして場の空気をほぐし、一段落すると「じゃあ、まああとは御当人同士でお話などを」ということになる。これはもう完璧《かんぺき》にお見合である。テープレコーダーがあるかないかの違いだ。それから中には対談で知りあった男女が実際にできちゃうということもあるそうで、ここまでくると何をかいわんやである。僕なんかそういういい目にあったことは一度もない。腹が立つ。

しかしそれはさておき、たしかにこういう「ま、適当にお話を」というやり方はアメリカ人のエディターにはちょっと理解しがたいだろうね。

僕の出会った有名人(1)

僕は今までいわゆる有名人にあまり会ったことがない。これはどうしてかというと、ただ単に僕の目が悪いからである。それ以上の深い意味はない。目が悪いから遠くにいる人の顔がはっきりと見えないのである。

近くにいる場合でも、僕はわりにまわりの状況に対して不注意な方なので、ついついいろんなことを見すごしてしまうことが多い。だから知りあいによく「村上はすれちがってもあいさつひとつしない」と非難される。そんなわけで、有名人と出会ったとしてもぜんぜん気づかずに通りすぎてしまうことになる。

ところが僕のつれあいはそういうことにかけては実に目ざとい人で、どんな雑踏の中にいても必ず有名人の存在をサッとキャッチしてしまうのである。こういうのはもう天与の才というこ とばで表現するしかないんじゃないかという気がする。それで彼女と一緒にいると「あ、今中野良子《りょうこ》とすれちがった」とか「あそこに栗原小巻《くりはらこまき》いるわよ」とか教えてくれるのだけれど、僕が「え、どこどこ？」と見まわす頃《ころ》にはみんなもうどこかに消えてしまっているのである。

村上のやつ
すれちがっても
挨拶ひとつ
しないぜ
早稲田じゃ
仲よかったのにな

ひどい時には「さっきの喫茶店であなたのとなりに山本陽子が座ってたでしょ」なんていうこともある。そんなのその時にそっと教えてくれたらいいのにと思う。

まあよく考えてみれば山本陽子の素顔を見ることにどれだけの価値があるのか？ ということになるのだろうけれど、それでもやはり見逃して「損をした」と思う。変なものです。次回からはそんなわけで僕が今までに出会った数少ない有名人のことを書いてみたいと思う。

ところで茨城県新治《にいはり》郡の荒川昌彦さん、御指摘のように六月五日に新宿「びざーる」の前であなたが見かけた男は僕です。隣りにいた女の人は幸いなことに僕のつれあいです。あなたの手紙を読んだ時は一瞬ドキッとしたけど、やはり女房《にょうぼう》でした。

僕の出会った有名人(2)　藤圭子さん

学生時代、新宿の小さなレコード屋でアルバイトしていた。たしか一九七〇年のことではなかったかと思う。とにかくグランド・ファンク・レイルロードが来日して後楽園でコンサートをやった年である(なつかしいね)。このレコード屋は武蔵野館《むさしのかん》の向いにあって、今はファンシー小物の店になっている。当時はまだ武蔵野館はなかった。隣りのビルの地下には「OLD BLIND CAT」というジャズ・バーがあって、仕事のあいまによくそこで酒を飲んだ。

一度僕の働いているレコード店に藤圭子《ふじけいこ》さんが来たことがあった。でもその時はその人が藤圭子さんだなんて、僕にはぜんぜんわからなかった。あまり目立たない黒いコートを着て、化粧気もなく、小柄《こがら》で、なんだかコソッとしたかんじだった。

今の若い人にはわからないと思うけれど、当時の藤圭子といえば流星のごとく現われ、ヒット曲をたてつづけに出し、ひとつの時代を画したスーパースターである。今の山口百恵《ももえ》ほどではないにしても、一人で気軽に新宿の街を歩けるといった存在ではない。でも彼女はマネージャーもつれずに一人でふらっと僕の働いているレコード屋に入ってきて、すごくすまなさそうなかんじで「あの、売れてます？」とニコッと笑って僕にたずねた。とても感じの

良い笑顔だったけれど、僕にはなんのことなのかよくわからなかったので、奥に行って店長をつれてきた。
「あ、調子いいですよお」と店長が言うと、彼女はまたニコッと笑って「よろしくお願いしますね」と言って、新宿の夜の雑踏の中に消えていった。店長の話によればそういうことは前にも何度かある、ということだった。それが藤圭子だった。
そんなわけで僕はまるで演歌は聴かないけれど、今に至るまで藤圭子という人のことをとても感じの良い人だと思っている。ただ、この人は自分が有名人であることに一生なじむことができないんじゃないかなという印象を、その時僕は持った。あれから離婚したり改名したりしたという話だけれど、がんばってほしいと思います。

僕の出会った有名人(3)　吉行淳之介氏

吉行淳之介《よしゆきじゅんのすけ》という人は我々若手・下ッ端《したっぱ》の作家にとってはかなり畏《おそ》れおおい人である。しかしなぜ吉行さんが畏れおおいかというと、これが上手《うま》く説明できないのである。他《ほか》にも有名な作家や立派な作家は星の数のごとく（……でもないか）いるのだけれど、とくに吉行さんに限って畏れおおいという感じがあって、これは不思議だ。

吉行さんは僕が文芸誌の新人賞をとった時の選考委員でまあ一応恩義のある人でもあり、どこかで会ったりするときちんとあいさつする。すると「あ、このあいだ君の書いたものはなかなか面白《おもしろ》かった」とか「最近目が悪くて本が読めないんだが、む、がんばって下さい」とか言われる。しかしいつもそういう風にやさしいかというとそんなこともなく、他の人がちょっと余計なことを口にしたりすると「それは君、つまらないことだよ」とか「ま、野暮はよそうよ」というようなことを軽々と言って向こうに行ってしまったりする。この辺の間あいの絶妙さが畏れおおいというか、こちらが勝手にかしこまっちゃう所以《ゆえん》である。

だから吉行さんのそばにいる時は僕は自分からほとんど何もしゃべらないことにしている。だいたいが人前に出ると無口になる方なので、こういうのはぜんぜん苦痛ではない。むしろ

楽である。だから僕はこれまで四回くらい酒場で吉行さんと同席したことがあるのだけれど、何か話を交わしたという覚えが殆《ほとん》どないのである。

それでは吉行さんがそういう場所で何を話すかというと、これが本当にどうでもいいような無益な話をエンエンとやっているのである。無益な話が無益な曲折をへて、より無益な方向へと流れ、そして夜が更《ふ》けていく。僕もかなり無益な方だけど、まだ若いのでなかなかあそこまで無益にはなれない。いつも感心してしまう。そういう話をエンエンとやりながらホステスのおっぱいをさりげなくさわっちゃうところも偉い。やはりなんといっても畏れおおいのである。

僕の出会った有名人(4)　山口昌弘くん

山口昌弘くんはべつに有名人というわけではないのだが、ある種の有名さのありかたを示《し》唆《さ》していることはたしかなので、この項で特別にとりあげてみたいと思う。

山口昌弘（以下敬称略）は武蔵野美術大学商業デザイン科の出身で、学生時代に僕が昔国《こく》分寺《ぶんじ》で経営していたジャズ喫茶でアルバイトしていた。山口は（だんだん呼び方が粗雑になる）悪い男ではないがはっきり言って無能というに近い従業員であった。ほとんど仕事もせずに従業員割引値段のツケで酒ばかり飲み、美術的才能もなく成績も悪く、女にもてなかった。その山口から先日僕の自宅に電話がかかってきた。どうせ乞食《こじき》でもやってるんだろうと思って話を聞いてみると、なんと〈学生援護会〉の広告を扱っている会社に勤めていると言うのである。〈学生援護会〉というのはこの「日刊アルバイトニュース」を出している立派な会社である。で、「そこで何やってるの？」とたずねてみると、「広告を作ってんだよね」という話であった。出世したものである。

「あのハルキさんさあ、ほら、牛が出て来るテレビの広告あるじゃない。あれをさ、糸井さんなんかと一緒にさ、俺《おれ》作ってんだよね」と山口は言う。

村上さんお元気ですか
そのせつはお世話になりました
ぼくは今糸井さんたちと牛の出てくるのや富士山の出てくるCFをつくってがんばっています
ぜひ見てください今度お会いしたいです
まだ見てない
人間だったら良かったんだけどね
CF界の鬼才　山口昌弘

僕の家にはテレビがないから、そんなこと言われてもなんのことかぜんぜんわからない。だいたいどうして「アルバイトニュース」のCMに牛が出てくるのか？

「じゃあさ、富士山が学生服着てズ〜〜と出てきてさ『人間だったら良かったんだけどねえ』ってのも知らないの？」だからテレビがないんだからそんなの知ってるわけねえんだよ！　というわけで山口昌弘はがっくり落ちこんで電話を切ったのである。

この話の教訓は何か？

①興味のない分野でいくら有名でも、そんなこと私は知らん

②武蔵野美術大学の成績評価はあてにならないということである。

山口くんまた神宮球場のボックス席の切符下さい。

本の話(1)　「日刊アルバイトニュース」の優れた点について

我が家の本の数が増えすぎたので先日新しく本棚《ほんだな》を買った。商売柄《がら》とはいえ本というのはどんどん増えていくものである。腹が立つから⅓くらいは売っ払っちゃおうと思って朝から選別作業にとりかかったのだけど、いざ処分するとなると「これはもう絶版だし」とか「また読むかもしれないし」とか「どうせ売ったって安いものなんだし」などと考えだして、ちっとも本の数が減らない。

いちばん腹が立つのは原書で新刊ハードカバーを買ったのに読まないうちに翻訳がもう出ちゃったという例で、翻訳書があるのにわざわざ英語で本を読む気なんてしないし、英語の本なんて売っても安いもんだし、こういうのは泣くに泣けない。

それから、とっておいて役に立つのか立たないのかよくわからんという雑誌も困ったものである。たとえば「ユリイカ」とか「キネ旬」とか「ミュージック・マガジン」とか「ミステリマガジン」とか、「スタジオ・ボイス」「広告批評」なんて捨てちゃうとあとで後悔するような気がするんだけど、今のところとっておいて何かの役に立ったという記憶があまりない。

しかしべつになんということなく保存していた大橋歩《あゆみ》時代の「平凡パンチ」三十冊とか、創刊当時の「アンアン」五十冊「映画芸術」三年ぶんなんていうのがけっこう今役に立っているので、そのへんのことは本当によくわからない。そんなこんなで雑誌が占めるスペースもばかにならない。

料理ページが好きで「家庭画報」は保存するし、「エスカイヤ」「ニューヨーカー」「ピープル」は仕事に必要なのでとっておくし……なんて考えると実にイライラしてくる。とくに物欲・所有欲が強いというわけでもないのに、どうしてこうも荷物ばかり増えるのか？

その点この「日刊アルバイトニュース」とか「ぴあ」とかいったタイプの情報誌は実に心地良い。だってその期間が過ぎちゃえば惜し気もなく捨てちゃえるものね。

本の話(2)　鷲は土地を所有するか？

僕《ぼく》がよく行く洋書専門の古本屋が神田にある。この本屋の良いところはミソもクソもごったまぜになっていて、珍品もゴミみたいな本も値段が一律ということである。最近はこういうのどかな商売がすっかり姿を消してしまって淋《さび》しいかぎりである。とくに中古レコード店にそういう傾向がつよく、ちょっとめずらしいレコードだとずいぶん高い値段がついていたりする。

昔は（といっても十年ちょっとくらい前だけど）こうではなかった。たとえばマル・ウォルドロンの「レフト・アローン」オリジナルとかモンクのヴォーグ10インチ・オリジナルなんてよく探せば中古屋の隅《すみ》に千円くらいで転がっていた。そういうのをみつけるのが好きで学生時代は東京じゅうのレコード屋を巡ったものだけれど、最近ではそういう〈めっけもの〉にいきあたる回数ががっくり減ってしまった。こういうのは夢がないよね。

その点その神田にある中古洋書屋はいまだにまともな値段で面白いものが買えるので貴重である。古くからある有名な店なので、その道の好きな人ならみんな知っている。ただこの店は本がジャンル別にきちんと整理してあるわけではなく、もう何もかもがぐしゃぐしゃに

並んでいたりつみあげてあったりするので、欲しい本を探しあてるのが至難の業である。とくにペーパーバックの英語の背表紙だけを何千冊も眺《なが》めていくのはそれほど視力の良くない人間にとっては苦業という以外の何ものでもない。それでも僕はこの店に入ると一時間くらいは退屈せずに時間を過ごせるし、おかげで他の店ではまず手に入らない珍しい本をずいぶんみつけることができた。

ただこの店の主人が手製の腰巻に書きつける日本語タイトルだけはあまり信用しない方がいいみたいである。"THE EAGLE HAS LANDED"(鷲《わし》は舞い下りた) というタイトルが「鷲は土地を所有していた」となったりして、ジャック・ヒギンズもびっくりである。でもまあそういうのがあるからこっちも退屈しないんだけどね。

本の話(3)　つけで本を買うことについて

何が贅沢《ぜいたく》といって、子供時代つけで本が買えるくらい贅沢なことはないのではないか、と僕は思う。

僕の家はごく普通の暮しむきの家だったけれど、父親が本好きだったので、僕は近所の本屋でつけで好きな本を買うことを許されていた。もっとも漫画とか週刊誌とかは駄目《だめ》で、きちんとした本だけである。しかしいずれにせよつけで好きな本が買えるというのはとても嬉《うれ》しかったし、おかげでいっぱしの読書少年になってしまった。

という話を今するとみんな一様にびっくりするのだけれど、僕の育ったあたりでは子供がつけで本を買うというのはそれほど珍しいことではなかった。当時の僕の友だちにも何人かそういうのがいて本屋のレジで「えーと、緑ケ丘の××だけどつけといて下さい」なんてよく言ってたのを覚えている。しかしそういう特権を持った子がみんな読書好きになるかというとそんなこともなくて、このへんが不思議である。不思議だよねぇ。

昔話をつづけると当時（一九六〇年代前半）僕の家は毎月河出書房の「世界文学全集」と中央公論社の「世界の歴史」を一冊ずつ書店に配達してもらっていて、僕はそれを一冊一冊

読みあげながら十代を送った。おかげで僕の読書範囲は今に至るまで外国文学一本槍《やり》である。要するに三ツ子の魂百までというか、最初のめぐりあわせとか環境とかで、人の好みというのはだいたい決定されてしまうのである。もしその当時うちでとっていたのが「日本文学全集」と「日本の歴史」で、最初に読んだ本が「破戒」だったとしたら、僕は今ごろガチガチのリアリズム小説を書いていたかもしれないのだ。そう考えると、人生というのは怪奇である。

大人になってからはツケで本を買ったことはない。べつにクレジット・カードで買おうと思えば買えるんだけど、なんだかそういう気にならなくて現金で払ってしまう。やはり「××町の村上だけど、つけといて下さい」とすっといかないと、気分が出ないのである。

本の話(4)　サイン会雑感

本が出版されると、必ずサイン会の話が店から持ち込まれてくるのだが、僕はこのサイン会というのをこれまで一度もやったことがない。サインするのがとくに嫌《いや》なわけではないのだがなにしろめんどくさいのと恥かしいのとで、サイン会だけはやらない。でも他の作家がサイン会をやっているところをのぞいたりするのは嫌《きら》いではなくて、遠まきに眺めて、「わりに良い靴《くつ》はいてるなあ」とか「カッコつけた字を書いてやがる」とか「けっこう写真より老《ふ》けてるじゃないか」といったようなロクでもないことを思う。それでいて本は買わない。我ながらひどいと思う。逆に言うと、そういう目にあいたくないから、僕は絶対にサイン会をやらないわけである。サイン会の存在に対して批判的だとかそういうことでは決してない。

サイン会で何がマズいかといって、サインを求める客が来ないくらいマズいことはない。ファンが紀伊國屋書店のまわりを七周とりかこんでサインを待っている、なんて具合だと問題はないのだけれど、なかなかそううまくはいかない。村上龍《りゅう》氏でさえ「あのさ、あれちょっと途切れちゃうことあるんだよね」と言っているくらいだから、他の作家については何を

か云《い》わんやである。僕が渋谷西武デパート書籍売場で見かけたサイン会の例でいうと、二十分間一人も客が来ない某作家がいた。この人の向い側では竹宮恵子のサイン会をやっていて、こちらは押すな押すなである。そのうちに某作家も退屈したらしく、竹宮恵子の方をのぞきにいったりして、見ていると本当に可哀《かわい》そうだった。こういう目にだけは会いたくないものだとつくづく思う。

ところでサイン本だけれど、古本屋にたとえば僕のサイン本を持っていくと高く取ってくれるかというと、そんなことはない。古本屋のおじさんに聞いた話だとサインがあって高くなるのはせいぜい遠藤周作・開高健《かいこうたけし》といった世代までで、あとの若い作家の署名なんて汚れみたいなものだそうである。汚れというのはすごいね。

略語について(1)

このまえうちのつれあいと飛行機の話をしてたら、なんかよく「ボアク」っていうことばがでてくる。僕の知らないことばである。なんだろうと思って質問してみると、これがなんと「BOAC」のことであった。だいたい、「BOAC」なんて会社はもうなくて今では「ブリティッシュ・エアウェイ」になっている。しかしいずれにせよ「BOAC」(ビーオーエーシー)を「ボアク」と読むというのは、これはもう言語道断《ごんごどうだん》な話である。どうして「BOAC」を「ボアク」と読むのが言語道断かというと、これはちょっと説明できない。とにかくそう決まっているのである。「BOAC」はあくまで「ビーオーエーシー」なのだ。

僕がそう言うと、つれあいは「あなたみたいに細かいことばかり文句言ってると年取ってみんなに嫌われるんだから」と言う。たしかにそうかもしれない。しかし「UFO」のことを「ユッフォー」なんて読まれるたびに、僕はいつも頭が痛むのである。「UFO」はやはり「ユーエフオー」である。どうしても「ユッフォー」がいいやという人はU・S・A・を「ユッサァー」と読んで下さい。そうじゃないですか。

飛行機の話に戻《もど》ると、たとえば、JALとかKALなんかは「ジャル」「カル」と読むけ

どTWAなんかを「トゥワ」とは読まない。

極東放送「FEN」をときどき「フェン」と言う人がいるが、あれはどうなのだろう？　アメリカ人で「FEN」を「フェン」と読む人に会ったことがない。よくわからないけどとりあえず「エッフィーエヌ」ときちんと言っておいた方が良いような気がする。たいした手間じゃないんだから。

「ブルー・サンダー」という映画の中で新入りのヘリ勤務警官が「JAFO」というネーム入りの帽子をかぶらされて、みんなに「ジャフォってなんの略なの？」と訊いてまわるくだりがある。なんの略かは映画を見てたしかめて下さい。なかなか面白《おもしろ》い映画だから。

略語について(2)

英語、日本語の別なく、最近は実に略語が多い。社会が複雑化・多様化し、それにあわせてことばもずいぶん長くなっているから、どうしても略さざるを得ないのである。「現代用語の基礎知識」風のものをパラパラとめくってみるとほんとうにわけのわからない略語だらけだ。就職をひかえた学生たちはああいうのを一生懸命覚えるのだろう。大変である。

最近の略語の秀逸例は「SALT」から「START」への移行である。いかにも「SALT」がうまくいかなくて苦々しいので、ここいらで心機一転してやりましょうという感じである。もっとも実際には「START」に変ってからも、軍縮会議はぜんぜんうまくいってないけれどね。

先日久しぶりに「アメリカン・グラフィティー」を観《み》てたら、ここにもいっぱい略語が出てきた。たとえばI《アィ》・D《ディー》・これはもちろん身分証明書（IDENTIFICATION）の略である。アメリカではこのI・D・がないとお酒が売ってもらえない。「アメグラ」ではひきがえる（トード）のテリー君が女の子に「お酒飲みたい」と言われて、I・D・なしにお酒を買いにいくシーンがある。テリー君は通りがかりのおじさんに「僕実はこのあいだ洪水《こうずい》でI・

D・を失《な》くしちゃいまして……」と言ってかわりにお酒を買ってくれるように頼むわけだが、おじさんがそれに答えていわく「そりゃ気の毒にね、俺《おれ》も女房《にょうぼう》失くしたんだ。でも名前はアイディーてんじゃないけどさ」。このところは結構おかしい。

それからレース狂のジョンがおまわりから違反チケットをもらって「このC・S・をそこにしまっとけよ」ととなりの女の子に毒づくところがある。それで女の子が「C・S・って何の略よ」と訊《たず》ねる。このC・S・はチキン・シット（くそたれゴミ）の略である。もちろんジョンが勝手に作った略語だ。

その前に女の子がジョンに向って「あんたかなりのJ・D・ね」というシーンがある。J・D・というのは非行少年の略。映画をしっかり見るというのも一苦労です。

ケーサツの話(1) 職務質問について

学生の頃《ころ》、道を歩いていると、よく警官に呼びとめられて職務質問というのをされた。どこに住んでいるのかとか、どこに行くのかとか、そういったことである。その当時はなんでそんなこと訊《き》かれなくちゃいけねえんだ、俺《おれ》が何をしたというんだよ、とむかっぱらを立てたものだったけれど、いつのまにかさっぱり警官に呼びとめられなくなってしまった。

僕《ぼく》が年をとって温和な顔つきになったからなのか、それとも社会が平和になったからなのか、どちらかはよくわからないけれど、職務質問というのはされなければされないで、なんとなくさびしいものである。暇をもてあましてる時なんか警官を見かけたりすると、(こっちに来て何か質問してくれるといいな)と思うのだけど、警官というのはよくしたもので、そういう相手のところには絶対に寄ってこない。目がピッと合っても、相手にしないというかんじで向こうから視線をそらしてしまうのである、大したものだと思う。

昔小石川の方に住んでいたころ、病気の猫《ねこ》をバッグに入れて獣医のところまで運ぼうとして、近所の交番の前で職務質問にあったことがある。ちょうど土田警視総監の家が爆破された翌日で、向うも気が立っていたらしく、三人くらいの警官がバラバラと僕を囲んで「バッ

グを開けろ」と言った。

そう言われてみると、病気の猫をバッグに入れて抱えてあるく格好《かっこう》はたしかに爆発物を運ぶ格好に似ている。そうか参ったなあと思いながら「いや、実は猫なんです」と言ったら、とにかく開けて見せろというので、それではとふたをあけると、中からニャアといって猫が顔を出した。それで「あ、猫ですね」ということで場がにっこり収まった。

しかし実は猫はかくれみの、その下には本物のプラスチック爆弾が……ということは話としては面白いだろうけど、そういうことにはならなくて、本当に猫だけでした。

ピース、ピース。

ケーサツの話(2)　陳述書について

その昔、ちょっと事情があって警察にひっぱられて陳述書を書かされたことがある。その時僕を担当した刑事は三十代半ばくらいの人で、どういうわけか顔つきがポール・ニューマンによく似ていた。ポール・ニューマンに似ているとは言ってもとくにハンサムだとかそういうのではなく、ただ単に細部の特徴がよく似ているというだけのことなのだが、それにしても似ている。それに加えてその刑事はVANジャケット風の白いボタンダウン・シャツを着ていた。ポール・ニューマンによく似た刑事がボタンダウン・シャツを着ていたりすると、これはもう完璧《かんぺき》にサウス・ブロンクスの世界である。あれは今思っても、実にユニークな体験であった。安西水丸著「普通の人」に出てくる警察署の風景とはずいぶん違うね。

まあそれはともかくとして、警察で陳述書を書かされたことのある人ならわかると思うのだが、警察官の作文能力は一般人のそれに比べて極端に低い。文法にしても「てにをは」にしても情景描写にしても心理描写にしても、実に稚拙である。陳述書というのはだいたい警官が質問し、それに対してこちらが答えたことを警官が「私は……」という一人称で文章化し、それにこちらが署名するというしくみになっているのだが、このポール・ニューマン氏

の場合も本当にちょっと唖然《あぜん》としちゃうくらいひどい文章であった。読みあげるのを聞いているとかたっぱしから添削したくなってくる。誤字・あて字も多い。

しかし何にも増して屈辱的なのはこのポール・ニューマン氏が鉛筆で書いた下書きの上を、それと一字一句違えずに僕がボールペンでなぞって清書しなければならないことであった。それで僕がボールペンでその文章をなぞりおえると、ポール・ニューマン氏は消しゴムで自分が鉛筆で書いたぶんの字をコシコシと消して、僕があたかも最初から自筆でその陳述書を書いたかのようにみせかけるのである。

言うまでもないことだと思うけれど、警察にかかわって、あまりロクなことはないみたいだ。

新聞を読まないことについて

外国に行っていちばんほっとするのは新聞を読まなくて済むことである。僕は日本にいてもだいたいがあまり新聞を読まない方なのでどっちだって同じと言えば同じようなものなのだけれど、それでも日本にいると大きな事件はいやおうなしに耳に入ってくるし、たとえば大韓航空機がミグに撃墜されたなんて話になると、それはどうしたっていちおう新聞のページをくってみることになる。

その点ヨーロッパなんかにいると現地の新聞は読めないし、かといってわざわざ高い金を払って英字紙「ヘラルド・トリビューン」を買うのもあほらしいわけで、まるっきり情報とは無縁の生活を送ることになる。これは本当に楽である。正直な話、新聞なんてなくったってちっとも困りはしないのだ。とくにギリシャにいる時がそうで、朝起きる→飯食う→泳ぐ→飯食う→昼寝する→散歩する→酒飲む→飯食う→眠る、というパターンをエンエンと繰り返すわけで、とても新聞の入り込んでくる余地なんかない。ギリシャというのは本当にすごい国だと思う。

このあいだドイツに一カ月滞在していて、このときもまるで新聞というものを読まなかっ

た。一回だけベルリン行きのパンナムでサービスのトリビューンを読んだけど、べつになんということもなくて「そうか、アメリカがグレナダに進攻したか」とか「ロンとヤスが握手したか」とかフンフンといった感じで、それっきりである。

それよりはドイツの若い連中がみんな反核バッジを胸につけていたり、パーシングII反対キャンペーン・シールを車にベタベタと貼《は》っているのを見ている方が、世界の空気の流れみたいなものを肌《はだ》で感じることができる。

本当の情報とはそういうものだと僕は思う。決して新聞が役に立たないというわけではなく、世の中には右から左に抜けていくだけの身につかない情報が余りにもあふれすぎてるんじゃないかと思うだけである。

ギリシャにおける情報のあり方

前回ギリシャは面白《おもしろ》いという話をしたけど、そのつづき。

ギリシャというのは変な国で、街を歩いていても書店がほとんど見あたらない。たまにあってもすごく小さくて客なんかいない。首都アテネでさえそうだから、地方に行けばなおさらである。要するに本なんてみんな読まないのだ。それで何をするかというと、人々はカフェにあつまって、あれやこれやと討論して日々を送るのである。これくらい話好きな国民もないんじゃないかと思う。

そんなわけだから、情報の伝わり方なんかも日本とは相当ちがう。日本だと情報はまずTVでやってきて、新聞で広がり、雑誌で補足され、書物で確認されるわけだが、ギリシャでは一度情報が入ってくると村のおじさん連がカフェにあつまり、それについてああでもないこうでもないとエンエンしゃべりまくり、その結果として漠然《ばくぜん》としたコンセンサスのようなものが形成されるわけだ。こういう形での世論形成は時間がかかるけど、そのぶん筋道がしっかりしているような気がする。

たとえばバスで田舎を旅行していると、ギリシャ人のおじいさんが僕のところにやってき

て谷間の村を指さし、ギリシャ語でベラベラと何かを話しかける。よくよく聞いてみると「一九四四年にドイツ軍がここで村人を二百五十人虐殺《ぎゃくさつ》した」といったようなことであるらしい。するとバス中のギリシャ人が老人から子供まで「んだ、んだ」という感じで肯《うなず》いたり、確認したりするのである。それから誰《だれ》かが「わしらはナチスを許さん」と言うと、またみんな「んだ、んだ」と肯く。もう四十年も昔のことなのに、みんなその虐殺を心の底から憎んでいるのである。

　こういうのは頑迷《がんめい》にすぎるといえばそれまでなのだろうけれど、逆にあまりにも簡単にものごとを水に流したり思考様式を十年ごとにちゃらちゃらと変えちゃう国民性というのもそれはそれでちょっと問題があるんじゃないかと僕は思う。どちらが良いかといわれるとよくわからないけど。

ミケーネの小惑星ホテル

ギリシャにミケーネという村がある。シュリーマンがアガメムノンの墓を発見した有名なところである。有名とはいってもミケーネは本当に小さな村で、規模としては竹下通りくらいのものである。観光バスが来ると人でどっとあふれるが、バスが行ってしまうと、物音ひとつしないいしーんとした村に戻《もど》る。地理的にはアテネからの日帰りバス・コースに入るからわざわざここで泊る人もいない。僕はこのミケーネ村がけっこう好きである。

ミケーネ村でいちばん良いホテルは「ル・プチ・プラネット」(小惑星)という名のホテルである。もっとも我々の感覚で言えばホテルというよりはペンションとか「山の家」とかいった感じに近い。設備もギリシャのホテルの九十五パーセントがそうであるようにわりにいい加減で、部屋もとくに清潔とはいいがたい。しかしここのホテルはこぢんまりとしていて、とてもおちつく。

「ル・プチ・プラネット」は元ギリシャ空軍のパイロット氏と、そのとびきり美人の奥さんによって経営されている。

御主人の方は料理が上手で、かなりきちんとした家庭風ギリシャ料理を食べさせてくれる。

彼は爆撃機に乗っていたのだけれど、キプロス紛争の時に戦争がつくづく嫌《いや》になって空軍を除隊し、ホテルのオーナーになったという人である。小さな娘が二人いて、二人ともとてもかわいい。

夜になるとミケーネ村は真暗になる。こんな闇《やみ》はちょっとないんじゃないかと思うくらいの暗さである。僕はベランダの闇の中で手さぐりで米を添えた魚料理をつつきながら、アガメムノン山上のかがり火を眺《なが》め、主人と世間話をする。彼は楽しそうに日々の生活を語る。

「幸せそうですね」と僕はたずねる。

「もちろん」と彼は言う。「とてもとても幸せだよ」

僕は思うのだけど、日本人のいったい何人が「幸せか？」ときかれて、こんな風に答えることができるだろうか？

ギリシャの食堂について

ギリシャの話をつづけます。

みんなギリシャの食事はまずいっていうけど、絶対にそんなことはない。とくに美味《うま》いのかときかれると返事に困るけど、まずいとは思わない。少なくとも東ベルリンの一流レストランで食べる料理よりはずっと美味い。オリーブ油がふんだんに使ってあるのが嫌だと言う人もいるかと思うけれど、慣れちゃえばなんということもない。僕《ぼく》なんか羊肉がものすごく苦手なのだけど、それでもムサカ（ひき肉となす・チーズのオーブン焼）がうまくてむしゃむしゃ食べてしまうくらいである。

世界中どこでもそうだけど、ギリシャ料理も一流レストランで食べるよりは大衆食堂で食べた方がずっとおいしい。ギリシャで食べたいちばんまずいギリシャ料理はなにしろ某超一流ホテル内のギリシャ・レストランだもんね。

しかしギリシャの大衆食堂はやたら汚ない。料理にたかろうとする蠅《はえ》を片手でさっと追い払い、蠅が戻ってくる前に料理を口に放り込み、嚙《か》んでいるあいだまた蠅を払いつづけるというパターンである。アテネはさすがにもう少しましだけど、ちょっと田舎に行くと蠅が多

くて、昼寝もできないくらいである。しかしどういうわけか蠅が多いところほど飯がうまい。

それから海岸近くでは実に魚がおいしい。食堂《タヴェルナ》に入るとまず台所を見せてもらい、ショウケースの中から魚とか海老《えび》とかを選び、それを調理してもらう。鯛《たい》がとくにうまく、一匹まるごと焼いて、そこにオリーブ油をかけ、土地の白ワインをちびちびと飲みながら食べる。ロブスターもなかなかのものである。それにグリーン・サラダをつけて、一人千円ちょっとだから、これは嘘《うそ》みたいに安い。この世の天国である。

ただ観光客の集まるアテネのプラーカのあたりのタヴェルナは従業員の質も悪く値段も安くない。ギリシャに行ったら絶対に一人で田舎を歩いて下さい。とても楽しいから。

食物の好き嫌いについて(1)

僕はけっこう偏食がちな人間である。魚と野菜と酒についてはほとんどといっていいくらい好き嫌《きら》いはないけれど、肉は牛肉しか食べられないし、貝についてはカキ以外はまるでダメである。それから中華料理となると一切食べられない。だからだいたい魚と野菜を中心に、あっさりとした味つけのものを食しつつぼちぼちと日々を送っている。コンニャクだとかヒジキだとか豆腐だとか、要するに老人食だね、これは。

ときどき自分でも不思議に思うのだけれど、何が好きで何が嫌いという判断基準はいったいどこから来ているのだろうか？　どうしてカキが食べられるのにハマグリが食べられないのだろう？　カキとハマグリが本質的にいったいどう異っているというのか？　こういうのはどれだけ考えてもよくわからなくて、結局「運命」というひとことで片づけてしまうしか手がない。私はある日、風吹く丘の上でわけもなくカキを愛してしまったのだ……なんてね。結果が全《すべ》てである。

どのような経緯をたどって中華料理が食べられなくなったかというのも僕にとっては大きな謎《なぞ》のひとつである。僕は中国とか中国人とかに対して決して悪い感情を抱いているわけで

はなく、逆にどちらかというとすごく興味を持っている方だと思う。知りあいにも何人か中国人がいるし、僕の小説の中にもいっぱい中国人が出てくる。しかしそれにもかかわらず、中華料理というものを僕の胃はかたくなに受けつけないのである。どうしてなのかはよくわからない。幼児体験とかそういうものなのかもしれない。

千駄《せんだ》ヶ谷《や》に住んでいた時分、僕の家の近くのキラー通りに美味《うま》いという評判のラーメン屋が二軒並んであって、その前を通ると嫌いなラーメンの匂《にお》いがぷんぷんするので、僕は家に帰るのにいつも大変苦労をした。僕の友人はその前を通るたびにラーメンを食べたいという激しい欲望を押さえるのに大変苦労しているそうである。そういう話を聞くとラーメンが好きか嫌いかの違いだけでも人生の様相はかなり変ってくるんだろうなあという気がする。

食物の好き嫌いについて(2)

先日イギリスの新聞を読んでいたら、広告のページに犬が首を吊《つ》られている写真がのっていた。いったい何だろうと思って読んでみると、これが愛犬家協会からのメッセージで「韓国《かんこく》では犬を殺して食べる習慣があるが、これは野蛮だからやめさせよう」というものであった。この一カ月くらいあとでホノルルで新聞を読んでいたら、「中国人は野犬狩りをして、しかもその一部を食べているということだけれど、あまりにも野蛮だから我々は中国製品をボイコットしよう」という投書が掲載されていた。それは北京《ペキン》で大規模な犬狩りが行われ、六週間で約二十万匹の犬が処分されるという事件があって（すごいね!）、それに対するホノルル市民の反応である。

僕の記憶によると、朝鮮とイギリス間の犬騒動は百年くらい前にも一度あった。このときはビクトリア女王(だったと思う)が朝鮮皇帝に対して友好のプレゼントとして贈った犬を、朝鮮の宮廷の方でまるっきり勘ちがいして、ありがたく料理していただいちゃったものだから、これは当時かなりの政治問題になった。面白《おもしろ》いと言っちゃいけないんだろうけれど面白いね。

こういった犬を食べる食べないといった習慣の問題を食物の好き嫌いと同列に論じるのは

ちょっと無理があるかもしれないが、それでも何を食べて何を食べないという選択が根本的に理不尽であるという点においては同じような次元のものである。野蛮というのは人間の性向の問題ではなく、コンセプトの問題である。僕がカキを食べられてハマグリを食べられないことに対して「何故そうなのか？」と問いつめられても、僕としてはものすごく説明に困るのである。性向を説明することは可能だが、コンセプトを説明するのはほぼ不可能だからだ。

話はぐっと飛んじゃうけど、「どうしてあいう奥さんと一緒になったの？」という質問も同じライン上にある難問である。僕はこういう種類の現実を仮りに〈同時存在的正当性〉と呼んでいるんだけど、なんだか今回は話はややこしくなった。では、家元は帰るぞ。

食物の好き嫌いについて(3)

べつに生理的に食べられないというわけじゃないけど、ちょっと食べたくないという類《たぐい》のものが世の中にはある。カレーうどんというのもそのひとつである。

僕はカレーもうどんも好きだけど、これが〈カレーうどん〉となるとどうしても手を出す気になれない。困ってしまう。コロッケうどんというのを先日新宿でみかけたけど、これも食べられないね。

だいたいどうしてうどんの中にわざわざカレーとかコロッケみたいな明らかに異なったライン上にあるものを放り込まなくちゃならんのか、僕にはまるっきり理解できない。そんなことを許しつづけていたら今に「ミートソース茶漬《ちゃづけ》」なんてところにまでつっ走らねばならないではないか？

僕はこのあいだ某懐石料理店でアボカドの利休あえという料理を食べたけど、これもなんだかちょっと困ったものであった。保守的と言われちゃえばそれまでなんだけど、要するに平和にのんびりとまともなものを食べたいと、僕の希望はそれだけである。

しかしかく言う僕もその昔、一人ぐらしの学生時代は実に無茶苦茶な料理をこしらえては

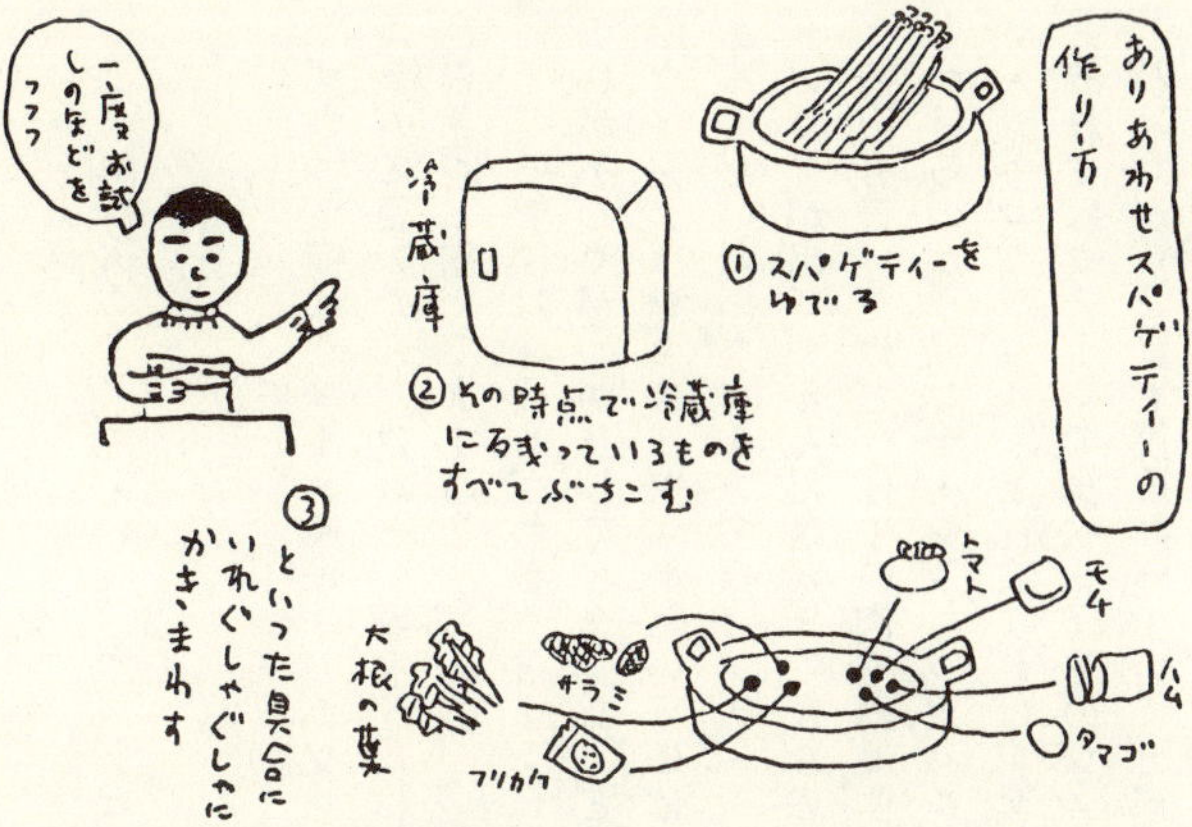
ありあわせスパゲティーの作り方
①スパゲティーをゆでる
冷蔵庫
②その時点で冷蔵庫に残っているものをすべてぶちこむ
一度お試しのほどを
フフフ
③といった具合にいれぐしゃぐしゃにかきまわす
トマト
モチ
サラミ
ハム
大根の葉
タマゴ
フリカケ

手っとりばやく飢えをみたしていた。だからあまり偉そうなことは言えない。

当時いちばんヒンパンに作っていた料理というと、これはもう「ありあわせスパゲティー」に尽きる。「ありあわせスパゲティー」といってもべつに明確な味の基準点があるわけではなく、とにかくスパゲティーをいっぱいゆでておいて、そこにその時点で冷蔵庫に残っていたものをよりごのみせずに全部ぶちこんでぐしゃぐしゃにかきまわすという、それだけのものである。料理としての統一性なんてものは爪《つめ》の先ほどもない。スパゲティーの中にお餅《もち》とトマトとサラミ・ハムと卵とふりかけと大根の葉っぱが一緒に入っていたりして、これは今思うとかなりすごいんだけど、当時は「あーうまいうまい」と思ってガツガツ食っていた。物好きな方は一度ためしてみて下さい。かなり強力ですから。ふふふ。

再びウィンナ・シュニッツェルについて

ずうっと前にウィーン風仔牛《こうし》のカツレツ、つまりウィンナ・シュニッツェルについてこのコラムで書いたんだけれど、読者諸氏は覚えておられるだろうか？　水丸さんは絵を描《か》いたからきっと覚えてますね？

ところで僕は先日わざわざウィーンに行ってウィンナ・シュニッツェルを食べたんだけど、これがすごくがっかりしてしまった。どうがっかりするかというと、変な話だけどウィーンのウィンナ・シュニッツェルというのは、まるでウィンナ・シュニッツェルらしくないのである。だいたいウィーンでウィンナ・シュニッツェルを注文すると十回のうち六回くらいはトンカツが出てくるんだけど、こんなのってあるかね？

前回も書いたけど、仔牛の肉を薄く叩《たた》いてころもをつけてカリッと揚げて、上からバターをかけるのがウィンナ・シュニッツェルである。僕はそう解釈しているし、日本で「ウィンナ・シュニッツェル」と注文すれば自動的に仔牛のカツレツが出てくる。

それではウィーンで食べる仔牛のウィンナ・シュニッツェルの味はどうかということになるわけだが、これも僕の好みでいくと東京で食べる方がおいしいんじゃないかという気がす

ぼくはいったい何をしているのだ
ヤヤ
ウィーンにて

る。だいたいが料理が大ぶりである。なんだか雑巾《ぞうきん》みたいな大きさのカツレツがどっと出てきて、ロクにソースもかかってなくて、それをポテトのつけあわせと一緒にモソモソと食べるわけだ。こういうのを一人黙々と食べていると「いったい俺《おれ》は何をしているのだ？」という気分になってきて切ない。

それに比べてウィーンで意外に美味いのがハンガリー・グラシュで、昼下がりの郊外ホテルのレストランで生ビールを飲みつつこれを食べていると、なかなかの雰囲気《ふんいき》である。ラム入りのコーヒーもウィーンらしくてホッとする。映画「ハリーとトント」の中で孤独なハリー老人がいつも「ああ、うまいハンガリー・グラシュが食べたい」とつぶやいていたけど、その気持わかるね。

続・虫の話(1)「月夜の行進」

だいぶ前のことだけど、このコラムで四回にわたって虫の話を書いた。安西水丸さんは聞くところによると虫が大嫌《だいきら》いで、その時のさし絵を描《か》くのがとてもこわかったそうである。悪いことをしたと思う。しかし悪いと思う一方で、そういう話を聞くともっともっといっぱい虫の話をしたくなるのが人情というものである。そういうわけでまた虫の話。

僕《ぼく》のつれあいが昔ナメクジの行列というのを見たことがある。彼女が高校生の頃《ころ》のことだけど月の明るい夜にお茶の水女子大の近くの坂道を歩いていると、はるか前方に銀色の帯のようなものが見える。それがキラキラと光りながら、まるで川が流れるみたいに道路を横断しているのである。それは右手の石垣に開いた土管の穴から次から次へと流れだし、道をわたり、向かい側の石垣をのぼって闇《やみ》の中に吸い込まれていく。帯の幅はおおよそ一メートルに近い。いったいなんだろと思って近寄ってみると、これが鼠《ねずみ》ほどの大きさはある巨大なナメクジの行列なのである。とにかく何千匹何万匹いるのか、とても数え切れない。行進はかなり以前からつづいていたらしく、車にひかれたナメクジのドロドロにつぶされたあとがくっきりと路面に残っている。それが月の光に照らされてヌラヌラと光っている。すさまじい

光景である。

「ちょうどその石垣の上の古い屋敷をとり壊しマンションを建てていたから、そこに住んでたナメクジがべつのところに移動してたのね」と彼女は言うけれど、そんなものすごい数の巨大ナメクジがひとところに住んでいたりするのだろうか？　そして彼らはその次にいったいどこに移り住んだのだろうか？　ナメクジの民族移動なんて、まるで「十戒」の中のモーゼの出《しゅっ》エジプトみたいな話である。きっとそのナメクジの群の中にはものすごく巨大なボス・ナメクジがいて、それが先に立ってみんなを新天地に導いているのであろう。そんなことをずっと考えているとすごく気持わるくて、眠れなくなってしまいそうである。

続・虫の話(2)「毛虫壺の悲劇」

世界でいちばんおぞましい刑罰は何かというと、これは「毛虫壺《つぼ》」ですね、やっぱり。もっともこの「毛虫壺」を実行するには相当な手間ヒマがかかるから、あまり現実的とは言えない。しかしおぞましさにかけては他のたいていの刑罰には負けない。

まず最初に深さ二・五メートルから三メートル直径二メートルくらいの丈夫な壺を用意する。これはかなりしっかりとしていて、しかもある程度の重みがないと役に立たないので注意する。内側の壁はできるだけつるつるとしていることが望ましい。次に壺のまわりにぐるりとやぐらを組み、そこから中をのぞきこめるようにする。これで第一段階が完了である。

次に奴隷《どれい》を三千人くらい集める。そして彼らに向かって「一人十匹の毛虫をとってくること。さもなければ鞭打《むちう》ち百回！」と命令する。奴隷は百回も鞭で打たれちゃたまらないから一所懸命毛虫を集めてくる。それでまあ三万匹くらいの毛虫は採取できる。

それからその三万匹の毛虫を壺の中にぶちこむ。三万匹の毛虫を一堂にあつめると、これはちょっとしたものである。まるで黒いタールが壺の中でうじゃうじゃとうねっているようなかんじになる。見るからに気持悪い。毛虫の深さはだいたい二メートルというところです。

これで準備はすべて完了である。あとはその中に囚人をつきおとすだけだ。そしてみんなでそれを眺《なが》めて楽しむのである。

落とされた囚人は壁をはいあがろうとするのだがつるつるとしてすぐに滑ってしまうし、ぴょんぴょんはねて息をしようとしても足で踏みつけた毛虫がヌルヌルしてうまくいかず、そのうちに口の中に黒い毛虫がもぞもぞといっぱい入りこんできて、結局は窒息死してしまうことになるんだけど、こわいでしょ、これは？　口の中にちくちくとした毛虫がいっぱい入ってくるなんて考えるだけで実に気持わるい。こういう死に方だけはしたくないと思う。ベッドの上で平和に死にたい。

拷問について(1)　石抱きとドリル

映画には拷問《ごうもん》のシーンがよく出てくる。今はどうかしらないけど、昔の時代劇にはよく石抱きの拷問が登場した。誰《だれ》が考えたかしらないけど、あれはなかなかよくできた拷問である。知らない人のために一応説明しておくと、まず算盤《そろばん》みたいにゴツゴツととがった板の上に囚人を正座させ、その膝《ひざ》の上に平たい石を一枚一枚と置いていくわけである。ＴＶの「笑点」という番組で膝の下に座布団《ざぶとん》をかさねていくのがあったけど、まああれの逆ですね。石の数が増えるごとに膝がギリギリときしみ、ついには砕けてしまう。僕が実際にやられたわけではないのでくわしいことはわからないけど、あれはきっと痛いだろうな。

若い町娘なんかが石抱きにあっていたりすると、気の毒な反面なかなか色っぽいものである。そばに悪代官がすくっと立って（佐藤慶《けい》だな、やっぱり）、「娘、痛かろう、父親の居どころを早くしゃべってしまえ」なんて責めたりしてね。いいよね。

日本の拷問としては石抱きの他には木馬責め・緊縛なんてのもあるが、これはどちらかというとべつのカテゴリーに属するので今回は省略する。くわしいことを知りたい方はにっかつ映画の「団鬼六《だんおにろく》シリーズ」を見にいって下さい。

映画の拷問シーンで悪代官と並んで一般的人気があるのは、なんといってもナチの親衛隊将校である。これが出てこないことには拷問シーンがなかなかピシッと決まらない。昨今のナチものでよくできていたのはやはり「マラソン・マン」だと思う。これはナチの残党がユダヤ人の青年を捕えて拷問する話なのだが、このナチのおっさんがもと歯科医で、青年の虫歯をドリルでぐりぐりとひっかきまわし、歯茎の神経を露出させ、それをまたしつこくぐりぐりぐりとやるわけである。普通に歯医者の治療を受けていてもこわいのに、こんなのを見せられたら気が狂ってしまいそうである。石抱きも嫌《いや》だけどドリルも嫌だ。

拷問について(2) くすぐりと指おとし

僕が見た映画の拷問シーンでいちばん面白《おもしろ》かったのは、なんといってもくすぐり拷問である。映画の題は忘れちゃったけど、ずっと昔のB級西部劇だから、この先公開されることもまずないと思う。

どういうのかというと、まず悪玉のギャング団が善玉の恋人を捕えてどこかに監禁しちゃうわけである。次に善玉が悪玉の一人をつかまえて、テーブルにあおむけに縛りつけて恋人の居所を詰問《きつもん》するのだが、だいたい映画の世界では善玉はあまり手荒なことはできないから、悪玉もそのへんは承知していてなかなか口を割らない。

善玉もそのうちに疲れちゃって煙草《たばこ》を一服ということになるんだけど、その当時のマッチはロウマッチなので、ちょうど目の前にあった悪党の足の裏でシュパッとマッチを擦る。ところがこの悪党が極端なくすぐったがりで、ついクックックッと悶《もだ》えちゃうのである。

そうなるとあとはもうくすぐり拷問しかない。羽毛なんかを持ちだして足の裏をくりくりくりとくすぐったり、鉛筆の先でのの字を書いたりするものだから悪党の方もたまらなくて、ついつい白状してしまうことになる。こういう拷問は明るくていいです。

逆にすさまじかったのはバート・レイノルズの「シャーキーズ・マシーン」で、これは恋人の居どころを白状しない刑事がそのためにナイフで手の指を一本また一本と切り落とされていく話なんだけど、これは思い出しても寒気がするくらいすごかった。シドニー・ポラックの「ザ・ヤクザ」の高倉健《けん》が指をつめるシーンでアメリカの観客が何人も失神したという話をきいたけど、「シャーキーズ・マシーン」の拷問のシーンの方がずっと強烈じゃないかと僕は思う。見ていても冷汗がでてくる。

それにもかかわらずバート・レイノルズ扮《ふん》するシャーキー刑事はそのナイフを器用にあやつる東洋人に向って「お前、ベニハナのコックだろう」とからかったりする。このあたりはバート・レイノルズの真骨頂である。

拷問について(3)　メル・ブルックスの「世界の歴史・パートI」

拷問の話をしつこくつづける。

映画の拷問シーンの馬鹿馬鹿《ばかばか》しい最右翼はなんといってもメル・ブルックスの「世界の歴史・パートI」におけるトルケマダの宗教裁判である。これはスペインの司法官トルケマダが十七世紀に異教徒を捕えていたぶった史実を徹底的にパロッたものなのだけれど、これが強力にすさまじくおかしいので機会があったら是非見て下さい。とくにエスター・ウィリアムズ主演の往年のMGMミュージカルを下敷きにしたプールシーンなんかもう抱腹絶倒ものである。

もっともこのメル・ブルックスの映画はただ面白く笑わせるだけではなく、よく見ると全体をとおしてユダヤ人の迫害を描いた歴史映画として成立していて、その意味ではなかなか骨のある作品である。メル・ブルックスはウディー・アレンと同じくブルックリン生まれのユダヤ人で、ブルックリン生まれのジュウイッシュが往々にしてそうであるように、小さい頃《ころ》から徹底的にいじめられて育った。人間はしつこくいじめられると二種類の反応が出てくると言われる。つまり暴力的になって相手に報復するか、ひょうきんになって相手を笑わせ

るかである。ユダヤ人について言えば前者の代表がイスラエルのベギン首相であり、後者の代表がマルクス・ブラザーズとメル・ブルックスであり、その中間あたりにウディー・アレンが位置する。僕はメル・ブルックスとマルクス・ブラザーズが大好きである。

　メル・ブルックスの「世界の歴史」ではユダヤ人が延々といじめられる。ローマ編ではユダヤ人のコメディアンとユダヤ教徒と自称する黒人奴《ど》隷《れい》(もちろんサミー・デイヴィスがモデルである)が独裁者シーザーにいたぶられるし、スペイン編ではさっきも言ったようにユダヤ教徒がトルケマダに拷問されるし、フランス革命編ではユダヤ人の小便係がルイ十六世のかわりに首を切られかける。とても可哀《かわい》そうである。でも最後に「スター・ウォーズ」風にユダヤ人が宇宙レベルで解放されちゃうんだけど、これは映画を見てのお楽しみ。

カサブランカ問題

先日久々にジェームズ・ボンド・シリーズの「ロシアより愛をこめて」を観《み》ていたら、トルコ人の英国スパイがボンドに向かって「君がいなくなるとイスタンブールもさびしくなるね (Life in Istanbul will never be the same without you)」と言うシーンがあった。あれ、どこかで聞いたことがある科白《せりふ》だな、「カサブランカ」だっけ? と思って調べてみると、これはやはり「カサブランカ」だった。土地の警察署長クロード・レインズがハンフリー・ボガートにむかって "This place will never be the same without you" という科白である。簡単に言えば "I'll miss you" だけど、ちょっともってまわったぶんだけ、男のにおいのする言い方になっている。構文としては、どうも奇妙な例だけど、「クリープを入れないコーヒーなんて……」というのに似ている。ジェームズ・ボンドのいないイスタンブールなんて、ハンフリー・ボガートのいないカサブランカと同じだ、ということになります。

べつに広告コピーの悪口を言うつもりはないけれど、有名になった広告コピーは必ずその周辺の文体を破壊し去っていくようである。これはちょうどフィリピンの焼畑農法が森林破壊をしていく状況に似ている。たとえば例のチャンドラーのキメの名セリフ「タフじゃなけ

れば生きていけない。やさしくなければ……云々《うんぬん》」だって、広告業界に破壊しつくされたあとでは、もうスカスカの抜けがらみたいな科白になってしまった。

「カサブランカ」の中にもたくさんキメの科白があって、この映画は何度観ても楽しめる。僕《ぼく》の他にもこの映画の超マニアは多くて、そういう人はいろいろと映画の真似《まね》したりして問題をひきおこすことになる。

たとえば僕が昔ジャズ喫茶を経営していた頃、店が閉まるとやってきてピアノで必ず「アズ・タイム・ゴーズ・バイ」を弾いて帰っていく人がいた。こういう人はほほえましいといえばほほえましいんだけど、やはり一種の社会の迷惑です。

ヴェトナム戦争問題

この前映画を観ていたら、あるパイロットが「どれくらいヴェトナムにいた?」と訊《き》かれて"Two turns and a half"と答えるところがあって、字幕ではこれが「二往復半」となっていた。僕も立場上、他人の訳をあげつらう立場にはないんだけれど、これはやっぱり「二期半」と訳すのが本当じゃないかと思う。マイケル・ハーの書いた「ディスパッチズ」というヴェトナム戦争レポートを読むと、僕の記憶ではこの"turn"ということばはよく出てくる。たしかワン・ターンが二年だったと思う。ヴェトナムでワン・ターンつとめると、これはもうヴェテラン兵で、普通の人なら神経がおかしくなってしまう。それを二期半もつとめあげたんだから、このパイロットは相当なタフ・ガイというわけだ。それが「二往復半」だと、なんのことだかさっぱりわけがわからない。だいたい米本土とヴェトナムを二往復半したんだとしたら、今ごろはヴェトナムのどまん中にいるはずではないですか?

ヴェトナム戦争に関する映画や小説やドキュメントはけっこう沢山あるが、それらを見ていてまず最初に気づくのは隠語・スラングの類《たぐい》が実に多いことである。僕も最初にヴェトナム戦争ものの小説を読んだときにはわけのわからない単語だらけで、何が何やらさっぱり

意味が通じないという有様だった。もっともこれは僕ばかりではなく、平均的アメリカ人にとっても同じことらしくて、小説によっては本のうしろにヴェトナム戦争で使われた専門用語とスラングについての「早わかり辞典」なんて便利なのがついているものもある。

　僕はコッポラの「地獄の黙示録」が好きで四回くらい劇場にかよって観たけど、あの映画に出てくるスラングも、小説ほどではないにしても、やはり相当なものである。とくに東洋人に対する差別言辞がすごくて、これはとても字幕には訳しきれない。ことばの面ひとつとってみても、ヴェトナムでの戦争はアメリカ史上例を見ない汚ない戦争であったのだなあとつくづく思う。

映画の字幕問題

映画の字幕の仕事をしている人に聞くと、スーパーインポーズの情報量というのはものすごく少ないらしい。オリジナルのダイアローグの情報量を1とすると、スーパーインポーズのそれは⅓から¼くらいに落ちてしまう。あれなら吹きかえの方がずっと沢山内容をもりこめますよ、ということであった。

でも吹きかえというのは映画のイメージが確実に狂ってしまうから、僕はどうも好きになれなくて、どうしても字幕に頼っちゃうことになる。先日も、「スターウォーズ・日本語版」というのを見たけど、ぜんぜん日本語の科白がききとれなくて、とてもしらけてしまった。発声が悪いのか、それとも科白のリズムと映画のリズムがうまくあってないのか、そのへんはよくわからないけど、何を言っているのかよくわからない。こういうのは困る。

ずっと昔に「ニュールンベルグ裁判」が日本で公開された時、監督のスタンリー・クレイマーが、「これは微妙な科白で構成された法廷劇だから、字幕ではなく、必ずやふきかえで公開してほしい」と注文をつけたことがあった。それで日本で吹きかえ版を作ったのだが、これは吹きかえなんてTVみたいで嫌だという日本の映画ファンにはひどく評判が悪く、結

局配給会社は朝の第一回上映ぶんだけ日本語版を上映することでお茶をにごしてしまった。

僕は当時そんなことはまったく知らずに、早起きして映画館に行って、幸か不幸か日本語版の「ニュールンベルグ裁判」を観てしまった。この日本語版は字幕と比べて、僕が思うに一長一短であった。スタンリー・クレイマーの意図するところはよくわかるのだけれど、ニュールンベルグ裁判で用いられた法律用語・政治用語は日本のそれとはかなり違ったものなので、べらべらと口頭でしゃべられて、観客がするする理解できるという種類のものではないからである。口頭の情報と字づらの情報とのあいだには、情報量だけでは測りきれない質的な差があるのだ。

「荒野の七人」問題

ジョン・スタージェスに「荒野の七人」という映画がある。黒澤明の「セブン・サムライ」をスタージェスが脚色し、ユル・ブリンナーとかスティーヴ・マクイーンが出演した有名な映画だから、御覧になった方も多いと思う。僕はあの映画の中ではジェームズ・コバーンのクールぶりと、ロバート・ヴォーンのオーバーな臭《くさ》い演技がわりに好きなのだけど、それはこの話の本筋には関係ないのでここでは追求しない。

僕が問題にしたいのはこの映画の最初のほうの部分である。映画はまずメキシコの村をメキシコ人の山賊が襲うシーンから始まる。それはそれでぜんぜんかまわないんだけど、そのメキシコ人同士が英語でしゃべりあうのだ。それも実にむちゃくちゃなメキシコ訛《なま》り英語で、「わしとお前、友だちである」「お前ら収穫とっていく、村飢える」といった感じである。そんなアホな会話するくらいなら、きちんとしたスペイン語で話しゃいいのにと思うんだけど、アメリカ人の字幕嫌《ぎら》いはかなり徹底しているので、どうしてもこういうことになってしまう。そのくせ「アディオス」とか「バイヤ・コンディオス」なんていうあいさつだけはちゃんとスペイン語である。もっとも僕みたいにそのアホくささが気に入って何度も何度も「荒野の

わしお前
友だちある
オー
アミーゴ
アディオス
サンチョス
フランノナスカ

七人」を繰りかえして見ているという物好きな人間もいるわけだけど。

しかし、最近ではハリウッドの事情もかなり変ってきて、映画の中のドイツ人はドイツ語を、フランス人はフランス語をちゃんと話すようになった。だから「ソフィーの選択」なんかは、映画の中のかなりの比重を占めるアウシュヴィッツのシーンはぜんぶドイツ語である。

先日在日アメリカ人と「ソフィーの選択」の話をしていたら、彼は「ぼくドイツ語わからないし、日本語の字幕読めないから、あのアウシュヴィッツのシーンぜんぜんわからなかったよ」とこぼしていた。気の毒な話である。リアリズムというのはわりに疲れる不便なものなのだ。

ダーティ・ハリー問題

この前、映画の字幕は字数が限られて大変だということを書いた。とくに「スターウォーズ」のC3POみたいにベラベラとやたらめったらしゃべりまくるキャラクターが出てくると、これはもう完全にアウトである。

言いまわしの面白《おもしろ》さとか訛《なま》りとかも伝わりにくい。駄《だ》ジャレ、語呂《ごろ》あわせの類もお手あげである。字幕製作者の仕事は実に大変なのだ。「あれはもう翻訳というよりは俳句とかコピーライティングの世界ですね」と某関係者も言っていた。

「ダーティー・ハリー4」の中でクリント・イーストウッドが人質にガンをつきつける強盗に対して委細かまわずマグナムの銃口を向けて“go ahead, make my day”とすごむシーンがある。字幕ではたしか「さあ撃たせてくれよ」となっていたと思う。意味としてはそのとおりであるが、あっさりしすぎていて訳文に今ひとつ凄味《すごみ》がない。これはこの映画の中の肝《きも》の科白《せりふ》だから、もうひとひねりほしいところである。

でも、この“make my day”というのは実に訳しにくい。感じとしては「さあ撃てよ、俺《おれ》に一丁やらせてくれよ」だけど、せっかくだからもっとうまいスーパーに仕立てたい。「さ

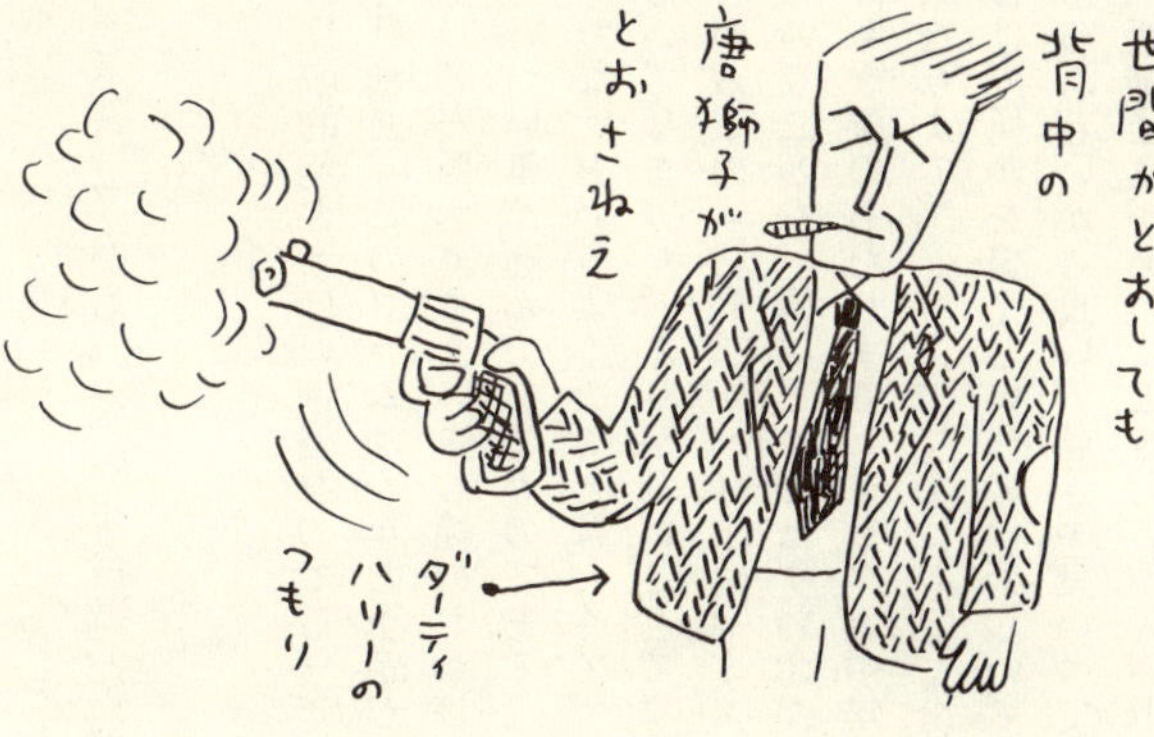
世間がとおしても
背中の
唐獅子が
とおさねえ
ダーティ
ハリーの
つもり

あ殺《や》れよ、嬉《うれ》しいことしてくれるぜ」あたりになると、ダーティー・ハリー・キャラハン刑事のキャラクターにだんだん近づいてくる。もっと上手《うま》い訳文ができたら教えて下さい。条件は十七字以内にまとめること。なかなかむずかしいでしょう。たしかにこれは俳句とかコピーライティングの世界に近い作業と言えなくもない。

僕はホノルルでこの映画を観たのだけれど、こういった決めの科白が出てくると、若い男の子たちがみんな「イェーッ!」というかんじで喜ぶ。ちょうどそういうのは僕の学生の頃《ころ》の東映ヤクザ映画の雰囲気《ふんいき》によく似ている。「世間がとおしても、背中の唐獅子《からじし》がとおさねえ」なんてね。たしかにこういう決めの科白の翻訳はむずかしい。

このコラムもいよいよ今週が最終回

僕《ぼく》は比較的飽きっぽい性格なので、一年を越えて連載をつづけるというのはまずないことなのだけれど、このコラムは一年の予定が一年九カ月もずるずるとつづいてしまった。これは主として安西水丸さんのさし絵のおかげです。今度は横にどんな絵がつくんだろうと思うと、ついつい筆が運んでしまうのである。だから「今週は何を書こうかな？　書くことなくて困ったな」というようなことはなくて、毎週「さてさて今回は……」という気分でホイホイと書いてしまった。ありがたいことです。

それからこの「日刊アルバイトニュース」という雑誌が、主として若い人たちに読まれているということも、僕にとってはずいぶん励みになったように思う。

僕はもう腰のあたりまでヒタヒタと中年の水につかっちゃってる人間で（注・水丸さんは胸のあたりまで）、とくにいまさら若い人におもねるつもりもないんだけど、それでも若い人にむけて何かを書くというのは楽しい。

もちろん若いから良い、若きゃ良いってものじゃなくて、若い世代には若い世代特有の傲《ごう》慢《まん》さや無神経さがあってときどきうんざりさせられもする。でも若い人たちの傲慢さや無神

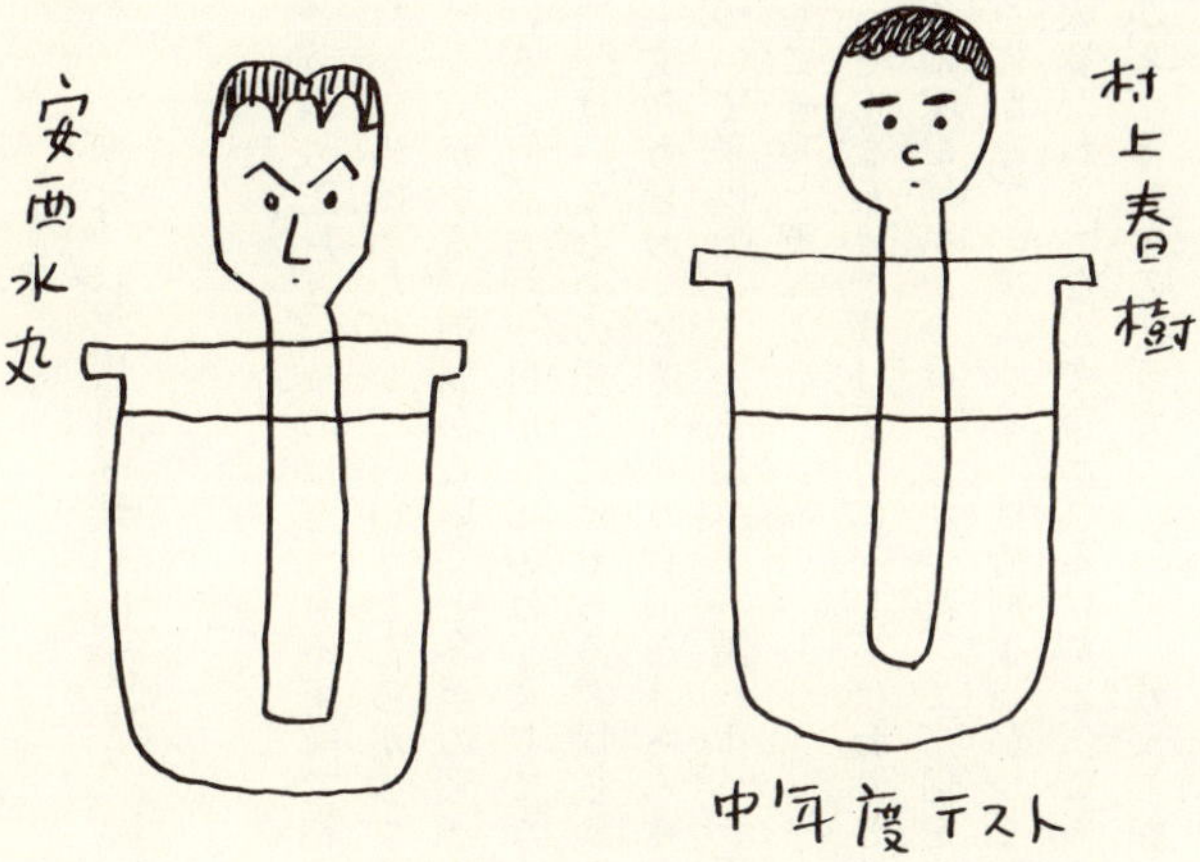

経さって、それだけで独立して機能していて、権力に直接結びついていないから、そのぶんだけ若い人たちを相手にしているとホッとするのである。僕の世代くらいになると、もういろんな分野で社会的権力をきっちり握りはじめている人たちがいるからね。具体的に言うとカドが立つから言わないけど。

しかしまあとりあえずそういうわけで、若い人相手に一年九カ月このコラムを雑談世間話風につづけてきたというかんじです。若い世代にむけてのメッセージとか提案とか苦情というのはとくにありません。まあがんばって働いて、がんばって年取って下さい。僕もそういう風にしてなんとか人並みの中年になったんだから。

以上

番外　お正月は楽しい(1)

昔から正月というのはどうも不可解で納得できなかった。何故一月一日が正月で、何故正月が年の始めなのか、というところがうまく把握《はあく》できないのである。必然性がまるでないような気がする。理屈からいくと冬至の翌日から新年になりますという方がまだすっきりしている。何故一月一日が一年のはじまりでなくてはならないのか?

とはいうもののそこにはもちろん何らかの必然性はあるのだろう。でなきゃ人類が何千年も文句も言わずにそういう習慣をきちんきちんと守りつづけてくるわけないものね。それについて子供のころから調べよう調べようと思いながら、いまだに調べられずにいる。そのうちにきっと調べよう。

そんなわけで僕は正月に対してはわりと懐疑的である。学生時代も正月だからといってとくに家に帰ったりはしなかった。で、何をするかというと、アルバイトをしてた。暮から正月にかけてのアルバイトは特別手当がつくから得である。まわりの人には「正月まで働いて大変だねえ」なんて言われるけれど、こちらとしては正月なんてそもそも信用してないんだから、そんなのどうだっていい。親父《おやじ》と顔をあわせて新年のあいさつをしたり、テレビのく

だらない番組見てたりするより働いていた方がましである。

とくに楽しいのは大みそかの夜に新宿のオールナイト映画館をはしごすることだった。夜の十時ごろからはじめて朝までに全部で六本くらい映画を観《み》る。歌舞伎町《かぶきちょう》東映を出るとシラジラと夜があけていてクールに新年という雰囲気はなかなかのものだった。「紅白」だとか「ゆく年くる年」などといった無意味なものは見たこともない。

でも去年の大みそかに久しぶりに歌舞伎町を歩いてみたらオールナイトをやってる映画館が殆《ほとん》どなくなっていた。話を聞いてみると従業員や学生アルバイトが元旦《がんたん》の朝くらい家にいたいというもので、ということだった。残念なことである。何度も繰り返すようだけど、元旦の朝だからって特別なことなんか何もないじゃないですか。あるのかな。

番外　お正月は楽しい(2)

たしか去年のお正月のこのコラムで僕は「正月なんて面白くもなんともない」という意味のことを書いたと思うのだけれど、今年は正月はわりに楽しいというかんじで書いてみたい。僕はわりにそういうのが好きである。

時々一人で討論会をやって結構楽しんでいる。たとえば「人間には尻尾《しっぽ》があった方が良いか悪いか」なんていったテーマで尻尾支持派Aと尻尾排斥派Bをかわりばんこに一人でやったりしてね。そういうことをしていると人間の意見あるいは思想なんてものがどれくらいあやふやでその場しのぎ的なものかというのがよくわかる。もちろんそのあやふやでその場しのぎ的なところがたまらなくいとおしいということもあるわけなのだけれど。

まあとにかくお正月の話。

お正月になるとうちは一応おせち料理のようなものを作る。年末にうちのつれあいと一緒に築地《つきじ》の魚市場に行って、はまちだとかまぐろだとか海老《えび》だとか野菜だとかをどっさりと買いこんでくる。それでむちゃくちゃいっぱいおせち料理をつくる。

僕は何をかくそうおせち料理が病的に好きである。僕はだいたい肉とか脂《あぶら》こいものをほと

んど食べない人なので、おせち料理みたいに魚やら野菜の煮ものやらがちまちまといっぱい並んだ料理はなにしろ嬉《うれ》しい。一カ月くらいおせち料理を食べつづけたってたぶん飽きないと思う。

それから雑煮《ぞうに》も好きだ。うちの雑煮は僕が鳥肉がきらいなのでかつおと昆布のだしで、ぶりの切身と海老とみつばとしいたけとかまぼこと人参《にんじん》と大根とさといもと焼もちを入れたおすましである。二日めはぶりのかわりに鮭《さけ》の切り身といくら。三日めはさわらを入れる。こういうのがさっと出てくるとつくづく幸せであるなあと思う。

でもいっぱい料理を作っても、うちは二人ぐらしだし、つれあいはもともと少食で僕は節食しているからなかなか減らない。それで毎年三日めくらいに二人揃《そろ》って大食いの友だち夫婦にきてもらってフェリーニの映画風に思う存分飲み食いしてもらうことにしている。この人たちが来ると大型の生樽《なまだる》も余ったワインもきれいにはけてしまうし、日もちのしない料理も捨てたりせずに済むのでとてもありがたい。食事が済むとスクランブル・ゲームをしたり、麻雀《マージャン》をしたりして遊ぶ。

食べること以外の正月の楽しみというと、まず空がきれいで町が静かなことに尽きる。トラックとかそういう大型自動車の数も少ない。僕は自動車というものに対してあまり良い感情を持っていないので自動車が少ないというだけでずいぶんハッピーな気分になる。元旦《がんたん》の朝に町をランニングすると実に気持の良いものである。

しかし何が楽しいといって東京の都心に住んでお正月を迎えるくらい楽しいことはないんじゃないかと僕は思う。僕はしばらく千駄ヶ谷《せんだや》に住んでいたのだけれど、この時はほんとにお正月が面白かった。まず大みそかの夕方に歩いて六本木の狸穴《まみあな》そばに行ってそばを食べ、新宿に出て酒を飲み、歌舞伎町をぶらぶらして映画を見て、それから原宿に行って東郷神社でおみくじを引き、喫茶店に入ってコーヒーを飲み、レコード屋のオールナイト・バーゲンをのぞき、屋台でたこやきを食べ、それから歩いて千駄ヶ谷に戻《もど》り、鳩森《はとのもり》神社でお神酒《みき》をいただいて家に帰り、おせちのだしまき卵なんぞをつまみつつ熱いそばを食べながらホール・アンド・オーツなんぞを聴き、それで寝ちゃうという寸法である。これが大みそか。

元旦になると早起きして赤坂まで歩く。このへんの雰囲気《ふんいき》がとても良い。町がしーんとし

て、広い通りもがらんとしている。空気がぴりっとしていて、肌《はだ》がちくちくする。絵画館前から葉の落ちた銀杏《いちょう》並木を抜け、青山どおりを左に折れ、東京マラソンで瀬古《せこ》がゴメスを抜いた例の坂道を下って赤坂に着く。左手に豊川稲荷《いなり》があるので、ここにちょっと寄ってまたたこやきなんかを食べる。それから、次は日枝《ひえ》神社である。日枝神社でまねき猫《ねこ》を買い、ヒルトン・ホテルのティー・ルームでコーヒーを飲む。こういう風にお正月、街なかを散歩していると、東京ってほんとに良いところだなとつくづく思う。空にスモッグがなく、車が少なく、人の数が少ないだけで、とてものびのびとした気持になれる。幸せである。毎日が正月だったら僕は喜んで東京に住みたいのだが、そういうわけにもいかないので今は千葉に住んでいる。

　僕はお正月にはあまり他人の家に行かない。テレビの音がうるさいからである。あまり文句ばかり言いたくないけど、お正月のテレビ番組ってどうしてあんなにみんな絶叫しているんだろうか？　日本国中一年をとおしてヒステリックにうるさいんだから、正月三日間くらいは全国のテレビとラジオの放送をストップしちゃえばいいのにと僕は思う。車の運転だって制限すればいい。そうすれば日本全国静かになっていい。お正月はみんなで静かにお雑煮を食べましょう。

でも人間に尻尾がついていたら消ゴムのかすを払う時なんかすごく便利だと思いませんか？

村上春樹&安西水丸

「千倉における朝食のあり方」

安西水丸氏に聞くI

千葉県出身の有名人である安西水丸さんに、千倉《ちくら》のお話をうかがいたいと思います。千倉というのは御存じのように千葉県の最南端にあって、漁村であります。とても静かな良いところで、僕《ぼく》も好きです。その昔松竹映画「影の車」の舞台になって、それで僕は千倉という町が好きになって、何度か遊びに行きました。

春 えー、それでまずひじきで歯を磨《みが》くというところから行きたいですが。

水 あ、ひじきね、こんど持ってきますよ。それ。

春 嬉《うれ》しいな、好きなんですよ。でもそのひじきで歯を磨くってのが、どうも映像的にうまく浮かんでこないんですが。

水 僕のうちはね、千倉って言ってもずっと白浜《しらはま》よりで、ぜんぶ岩場なんですよ。もうぜんぶ磯《いそ》でね、そこが一面ひじきなのね。ひじきで滑って転んだりしてね、もうヴェルヴェット

しきつめたみたいなのね、これが。それをちぎって口に入れて、二、三回かむわけ。ガムみたいにしてさ、生だから食えないでしょ、で、吐きだすわけ。するとさ、ほら、歯を磨くのと同じでさ、ゴムの歯ブラシってあるじゃない、あれと同じなんだよ。弾力性があって塩分があるから。

春　ソルト・サンスターですね。で千倉の町民は、みんなそうやってひじきをかんで歯を磨くんですか？

水　いや、そういうわけじゃなくて、僕がたまたまそういうことをしてただけ。千倉の町民はそんなことしないですよ。

春　水丸さん一人がやってたんだ。

水　そーそー。

春　普遍性はないんだ。

水　ない。

春　うーむ。

水　でもね、あのー、眼鏡を磨くとかさ、水中メガネね、そういうのはみんなさ、ひじきで磨いたね。

春　ひじきでですか？

水　いや、そりゃみんなやってんだよ。くもりがこないわけ。海女《あま》なんかもこう、ひじきでメガネ磨くよね。するとね、なぜだかわかんないけど、アブラが取れるわけ。ガラスについてる油がね。で、まあひじきというのはいろんな役に立ってるのね。

春　でもさ、やっぱりなんといっても食べるわけですよね、ひじきっていうくらいだから。

水　いやね、あんまり食べる人いないんだよね、あれ。他《ほか》に食べるものがいっぱいあるもの。あわびとか、さざえとか、わかめとか、あとほらあれ、**いそのり**とかさ。

春　いそのり？？

水　いそのり食べたことないでしょ？

春　ない。

水　冬になるとあれ岩に出るわけ。岩の上にはえてくるの。つまりコケだよね。それに青いのと黒いのがあってさ、黒いのが上等なわけ。それはうまいですよ、すごく。いそのりっつんだけどね。

春　それは生《なま》でとって、そのまま食べちゃうんですか？

磯海苔のつくり方
生の磯海苔
① すのこの上に額のようなのをのせる
② その上にうすく海苔をかける
③ 額をはずしてよくかわかす
④ できあがりは手でさく砂をはらい焼いたりして食べる

水　生でとってね、それで四角い額みたいなのがあるわけ、すのこみたいなのがあるでしょ、竹のこういうのが、そこに額みたいなの置いてきれいに砂どりしたのをね、ザルみたいのにずっと薄くのせて一日か二日、ほらノリを作るのと同じですよ。

春　ふむふむ。

水　あとね、**ハバ**ってのがあるね。

春　ハバ？

水　どういう字を書くのかわかんないけど、あれ波の葉って書くのかな……。わかめよりちょっと小さいね。わかめってさ、ほら幅が広いでしょ、あれより小さい。それもやっぱりさ、岩のりみたいにさ、こういう形に作るんだけど、それもものすごく美味《うま》いですね。

春　それはそのまま食べちゃうんですか？

水　いや、それは焼いてね、あのーお皿《さら》に入れてね、最初さっとお湯をかけてね、少しやわらかくしてからさらにおしょーゆかけてね、こう、しょーゆの味つけして食べるんですよ。ごはんの上にのっけて。

春　おいしそうだな。

水　こんど一式持ってくるよ、ぜんぶ。ハバはね、昔はいっぱいあったのよ、どこでも。でも最近じゃ高級料理になっちゃってね、東京の料亭《りょうてい》とかそういうのが買いにくるわけ。で、最近はあんまり手に入んなくなった。でもとにかくこんど冬場行ったら手に入れてきますよ。

春　食べたい。それで、んー、しつこくひじきのことに戻《もど》るんですが、いわゆるひじきの煮ものって食べないんですか？　マメとかアゲの入ったような……。

水　食べないね、フツー。お祝いとかそういう時とか、食べることあるけど。

春　（愕然《がくぜん》）……アーーー、祝いのときにひじきの煮もの食べるんですか？

水　そう、七五三とかさ、こうね、人をいっぱい呼んでモノをいっぱい出さなきゃいけないじゃない。そういうときはひじきをあえたモノとかさ……ひじきってもともと祝いのもんですよ、あれ。

春　そうなんですか。なんかおそうざいって感じあるけどね。普段は食べない？

水　ひじきなんて食べないよね、あんなの、道歩きゃ落ちてるもの。

春　えーーと、じゃ千倉の人って普段は何を食べてるわけですか？

水　魚ね、ずーっと。

春　朝食からいきたいんですが。
水　えー、朝はね、やっぱりそういう岩のりとか、あわびとか……。
春　朝からあわび食べちゃうんだ。
水　あわびの刺身みたいなのね。えーとね、道歩いててね、リンゴ落ちてたらみんな拾うけど、あわび落ちてたって拾わないね誰《だれ》も、千倉のヒトは。
春　ははは……。
水　そのあとはさざえを甘辛く煮こんだモノ。それであついご飯と、それから**石だたみ**なんかね。
春　石だたみ???
水　石だたみ知らない?
春　知らない。
水　あの――、海行くとさ、いろんなちっぽけな貝みたいなのあるじゃない、あれです。あれがね、あの、あげ潮になるといっぱい出てくるわけよ。それをとってきてね、ゆでるだけね。それでね、ハリでむくわけ。マチ針でね。
春　はあ。
水　むいてね、それをカラアゲにするわけ。かきあげみたいなのね。それとかね、ネギヌタにしたりする。

春　おいしそうだなあ。

水　おいしいですよ、そりゃ。

春　みそ汁はどうなってますか？

水　みそ汁はね、えーと、フノリみたいなのね。海草ですよ。ちょっとこうヌルヌルしたり、それをこう、みそ汁に入れて飲むわけ。あと**かさ貝**ね。

春　かさ貝？？

水　かさ貝ってのはこうペターッとして、かさみたいな形して岩にくっついてんのあるでしょ、あれ。……それからなんだっけな、あれ、**カメのつめ**っての。

春　カメのつめ？？？

水　ふふふ……（と笑う）、ほら岩と岩のあいだによくくっついてるでしょ、ツメみたいなの、アレです。かさ貝のみそ汁なんてそりゃうまいですよ。あとね、カニのね、イソガニのね、ん――、あれの足とっちゃってね、甲らだけでみそ汁《しる》にすんの。

春　甲らだけですか。

水　だしとるわけだけど、これはうまいですよ。カニのワンタンってあるでしょ、そういう感じね。

春　カニ自体は食べない？

水　べつに食べたい人は食べたっていいんだけど、ふつうは食べないね、だしとるためのもんだから。

春　これはうまそうだな。えーと、朝はだいたいこういうところで？

水　そうね、こういうの全部食べるわけじゃないけど、そのうちいくつかね。

春　うーん、これはひじきの出る幕はない。

「千倉における夕食のあり方」

安西水丸氏に聞くII

前回の「千倉《ちくら》の朝ごはん」編につづいて、安西水丸氏が「千倉の夕ごはん」を語ります。おいしそうですね。

春　じゃ夕ごはんと言いますと？

水　魚ですね。それとやっぱり貝類。あとは刺身ね。

春　あのへんはどういう魚ですか？

水　アジのさしみはうまいですね。

春　食べたいなあ。

水　アジのさしみ、イワシのさしみ、それからサンマね。

春　とれたてのイワシのさしみってうまいんですよね。

水　そりゃおいしいですよ。僕《ぼく》はアジのさしみ好きで、千倉行くとすぐにアジ食べるんだけど、そうすると他《ほか》のさしみなんてとても食えないね。たまにマンボのさしみなんて食べるけ

タマゴ三個
オクラ一個
＝
オクラ一個はタマゴ三個分の栄養
オクラは英語でオークラ
フジツボ
フジツボ
岩
フジツボのとり方
カナヅチ
ま横にたたくと
きれいに岩からとれる
磯カニは小さい
けれど汁にすると
よくダシが出てうまい
磯カニ

ど。

春　マンボのさしみ？

水　マンボのさしみはうまいですよ。白身だから。

春　いわゆる一般的なさしみってのはないんでしょうか？　マグロとかハマチとかさ。

水　ありますよ。カジキとかね。でも土地の人はイワシとかアジとかを好んで食べますね。あとサザエとかアワビのわたなんかもありますね。ああいうのを酢につけて食べたりする人もいるね。

春　なかなかですね。

水　それからイセエビのゆでたやつとかさ。身をこう出して、しょうがじょうゆで食べるのね。カニはないね。大きなカニね。さっき言った小さいやつくらい（朝ごはん編参照）でね。小さいやつならいくらでもいるんだけどね。あとは野菜。オクラとかね。オクラのことねりっていうんだよね。オクラって英語でしょ。オークラっつうのね。

春　ホテル・オークラね。

水　そうそう。オクラってのは千倉の名物でね、うちずっと昔から食べてたんだけど、なんかあの戦争でね、南洋の方なんかで捕虜になっていた人が持ってきたらしくってね。ホラ、花がきれいなんだよ。あれ、月見草みたいでさ。オクラって植えたことないでしょ?

春　あー、オクラの花って見たことないですね。

水　こんど持ってきますよ。うまく育つから。僕はそれでよくオクラ食べましたよ。玉子三つぶんの栄養あるって言われて……。

春　タラコ三つぶん?

水　いやいや、タマゴ三つぶん。

春　千倉における贅沢品《ぜいたくひん》と申しますと?

水　肉ですね。今はあるけど、昔は肉屋てのが一軒もなかったもんね。

春　祝いの席ではどんなものが出るんですか?

水　五目ごはんね。それとタイの尾頭つきか、あるいはさしみ。それから煮もの、キンピラ、ヒジキなんか。たきこみごはんはというとシーズンでソラマメとかエンドウとかです。

春　サカナのたきこみごはんはないですか?

水　ないですね。魚は新鮮だからね、もうナマで食べちゃうね。たきこみにしたりはしない。それからカサゴとかね、そういう簡単にとれる魚なんかは……（以下聴きとれない。実はこのインタヴューは渋谷《しぶや》のジャズ・バーみたいなところでやってるもんで、うるさくてしかたないのである。今はチェト・ベイカーの唄《うた》がかかっています）……かさごの…………つのは煮ものにしちゃうわけ。甘辛煮とかね。するとけっこう骨ばなれがよくておいしいね。あとしおからとか作るね。カジキのしおからなんてうまいですよね。

春　千倉ってのはこうしてみるとかなり豊かな町なんですね。

水　豊かですよ。やっぱり花なんか作る土地があるからね。普通漁村つうとこう山が迫ってたりするもんだけど、千倉の場合はちょっとした平野があって、農業なんかもできるからね。

春　西洋料理ってのはなかったですか？

水　ないですよ、そんなもの。中華料理だってないですよ。

春　スパゲティーとかグラタンとか……？

水　ないない。そんなの食べたらみんな見に来ますよ。だってね、僕が千倉ではじめてクリスマス・ツリー作ったんですよ。子供の頃《ころ》ね、山に木をとりに行って、それでね、おふくろにね、ふとん屋にワタを、きれいなワタをもらってきてもらってね。そしたら新聞にでたんだ。

春　それはすごい。

水　クリスマス・ツリーって、僕ね、すごくあこがれててね、作りたかったんだ。すごく。だからニューヨークでクリスマス見たときはね、これが昔からあこがれてた本物のクリスマスなんだなと思って胸があつくなった。

春　それでですね。結論的に言うと、千倉の食べもののおすすめというと……。

水　やっぱりアワビとイセエビですね。あれだけはすごく食べられるね。よく昔さ、イトイくんなんかと馬鹿《ばか》騒ぎしてたころ、僕はよく千倉帰るでしょ、それでアワビ食べすぎてコメカミが痛くなったなんて言うと、彼群馬でしょ、で、あんまりね、海のそういうのないでしょ？

春　コンニャクしかないですね。

水　で、イヤミだなあってね。でもね、ホント、千倉帰るとコメカミが痛くなる。子供の頃なんかね、三時になるとアワビとかサザエなんかね、鍋《なべ》でね、お袋がこう煮てくれるわけ。それをね、おかし食べるみたいにおやつに食べるわけ。

春　ふーむ、おやつにアワビですか。

水　あんまりおいしいとは思わなかったけど、そういうもんしかなかったからね。サザエを焼いてもらったりね。そういうの噛《か》んでると顎《あご》の筋肉が疲れてコメカミが痛くなるのね。消しゴム噛んでるようなもんで。……あとね、イトイくんをあと一度嫌《いや》な気持にさせたことあってね。ハマグリの貝柱をとる時横にこうひねると取れるって、そうして食べるって彼言ったのね。それで僕のとこなんか貝柱なんか食べたら叱《しか》られたって言ったわけ。あんな、貝柱なんてものはね、貝のうちに入んないわけ。身がいっぱいあるから、身を食べたら貝についてるものをいちいち取ったりしないよ。なんかそれで傷つけちゃったみたいで。気にしてるんだけどね。

春　海彦山彦ですねえ。

水　あとフジツボね。フジツボってね、おいしいよ、村上さん。フジツボの身なんてカニみたいにおいしいよ。フジツボ知ってるでしょ？　足が痛いやつ。あれをね、カナヅチで払うの。

春　カナヅチ……。

水　わりと簡単にとれるの。それをね、ゆでるわけ、ゆでて身を取って食べるの。すると塩味がついててね、すごくおいしいの。

春　一回みんなで団体旅行で行って食べたいですね。千倉ツアーとかいって……。足を伸ばして千倉へ行くとフジツボが食えるんだから。

水　フジツボなんて食べ放題。

春　行きましょう！

「千倉サーフィン・グラフィティー」

安西水丸氏に聞くIII

春 水丸さんは千葉県の千倉《ちくら》で少年時代を送られたわけなんですが、話によるとよくサーフィンをなさったということで……。

水 うん、板でボード作ってね。それでやってたの。子供の頃《ころ》。大きさはね、えーと、身長の半分くらいかな。

春 サーフボードよりは小さいんだ。

水 小さいね。洗濯板《せんたくいた》って考えるといい。幅は三十センチ弱。それをね、こうおなかにあてるでしょ、それで手を前にのばすでしょ。で、腹ばいになっちゃう。まあ普通のサーフィンとボディー・サーフィンの一緒になったようなもんだよね。だからね、乗るとちょうど頬杖《ほおづえ》をつくみたいな形になるわけ。それで陸までダ——ッと行っちゃうんだよね。

春 それは普通のサーフィンと同じように沖まで泳いでいって、板につかまって波を待ってるわけなんですか？

水 待ってるときもあるし、それからリーフがあるのね。だいたい背は立たないんだけどね。

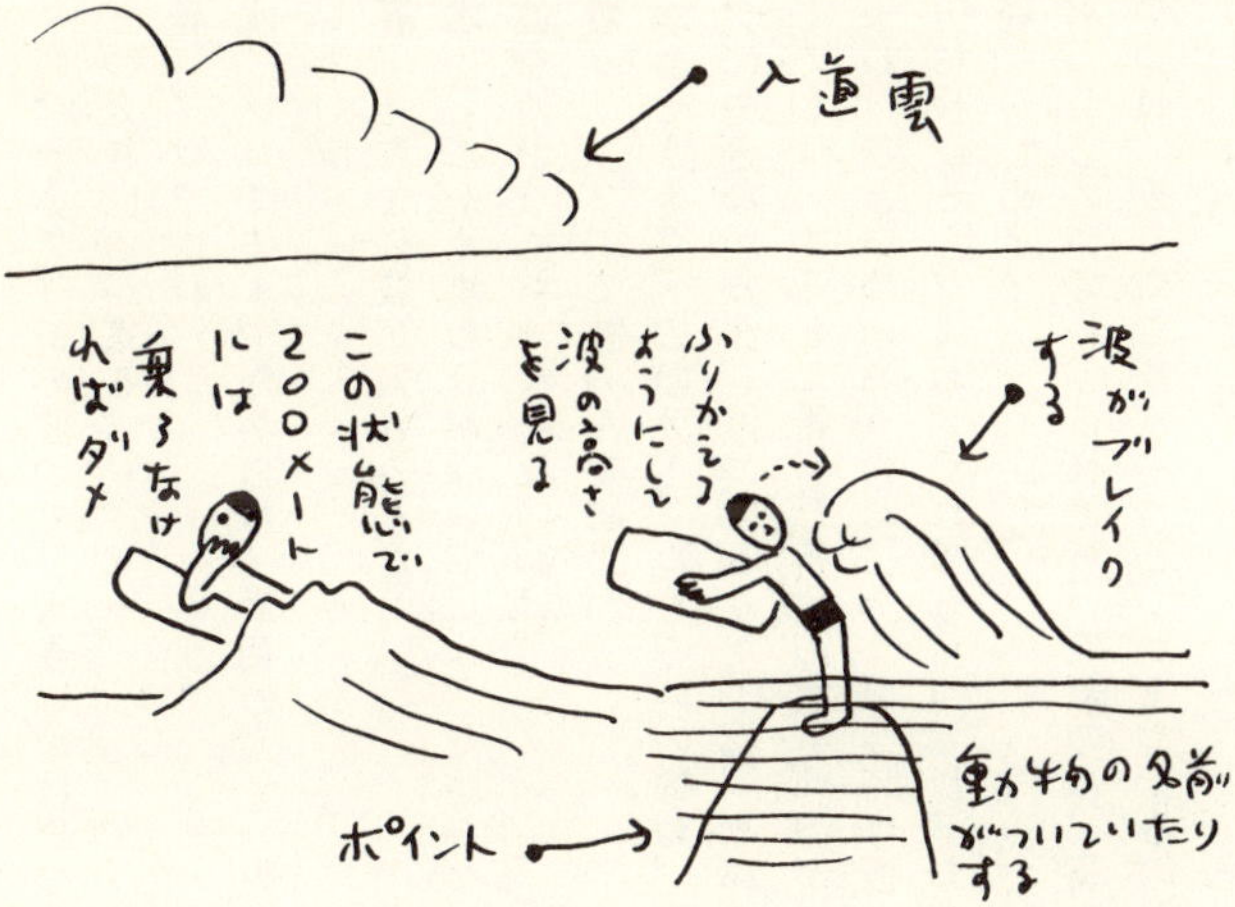
入道雲
波がブレイクする
ふりかえるようにして波の高さを見る
この状態で200メートルには乗らなければダメ
動物の名前がついていたりする
ポイント

それがほら、どこにあるかわかるんだよ、勘でね。それでそのひとつひとつのリーフに名前がついてるわけ。区別するために「ウシ」とか「ウマ」とかさ。

春　ウシ、ウマ……!?　なんでそんな名前がつくんだろう?

水　うーん、よくわかんないけど、要するに覚えやすいんじゃないかな、動物の名前だと。あるいは波の立ち方が関係してるのかもしれないね。でもべつに研究したことないから、そのへんのことはよくわからない。みんなそう言ってたからさ、ウシとかウマとか……。それで、そこに立って波を待ってるわけね。小さい波はぜんぶやりすごして、大きいのを待つわけ。

春　ビッグ・ウェンズディだね。

水　そうそう、ビッグ・ウェンズディ。波ってね。サーフィンの波って、大きいのは三つ連続してくるんですよ。八つ小さいのが来て、三つ大きいのが来る。

春　プロですね。

水　プロですよ。だからね。最初の大きいのを逃がすと、二つめの時はもう立っていらんないわけ。

春　そんなに波が大きいんだ。

水　とにかくまわりが深いでしょ。だからなんとかそのリーフに足をついていて次の大きな波を待たなくちゃならないわけ。

春　リーフって狭いんですよね。

水　そうそう、このテーブルくらいの幅ね。そこに五、六人がいて、片足をかるくそのリーフにつきながら波を待ってるんだよね。それでね、最初の波に乗って途中でおっこちたりするでしょ、すると二番目三番目の大きいのがあとから来て、それにまきこまれて大変なんだよね。ひどいめにあうのね。そうゆう時は板をね、波のくる方にほっぽっちゃうわけ。沖の方に投げるんだよね。それでもぐってね、あのほら、かじめってのがあるでしょ、海の中に。

春　かじめ??

水　かじめってね、これくらいの幅のね、藻《も》みたいなのがあるわけ。がっしりと根をはったやつね。そこにこう、ぐっとつかまってるのね。

春　ふ――ん。

水　根っこにつかまって待ってる。すると波がいっちゃったなってわかるでしょ、それで上にあがるとね、さっき投げた板がちょうどそのあたりに来てるわけ。そうゆうね、まあいろんなテクニックがあるんですよ、ふふふ。

春　ますますプロですね。

水　うん、あの、湘南《しょうなん》あたりでサーフィンやってる人いるでしょ。ああゆうのよくわかんないよね。稲村《いなむら》ヶ崎《さき》とかさ。あんな低くってうねりのない波でさ。そこいくと千倉の波はほんとに人をのせるものね。

春　いけませんね、湘南は。

「男にとって〝早い結婚〟はソンかトクか」

安西水丸氏に聞くⅣ

春　最近、学生結婚は多いんだろうか。

水　さあ……。どうなんですかね。

春　どうなんですか？（とGOROにたずねて）やっぱりね。少ないんですね。

水　ぼくは正確にいうと学生結婚じゃないんです。卒業してから結婚した。卒業するまでは、という昔ふうの家で育ったもんで、学生のうちに結婚するという感じは、ぼく自身、持っていなかった。十九ぐらいで知り合って、結婚式というのを挙げたのは就職したあと。二十三歳のときですね。

春　ぼくとほぼ同じですね。ぼくも知りあったのが十八か十九で、結婚したのは二十二だった。

水　まだ学生だった？

春　なにしろぼくは七年、大学にいたから。うちの女房《にょうぼう》は五年いた。二年先に向こうが卒業しちゃった。でも、結婚したときにすぐぼくは商売をはじめちゃったんです。いちおう学生

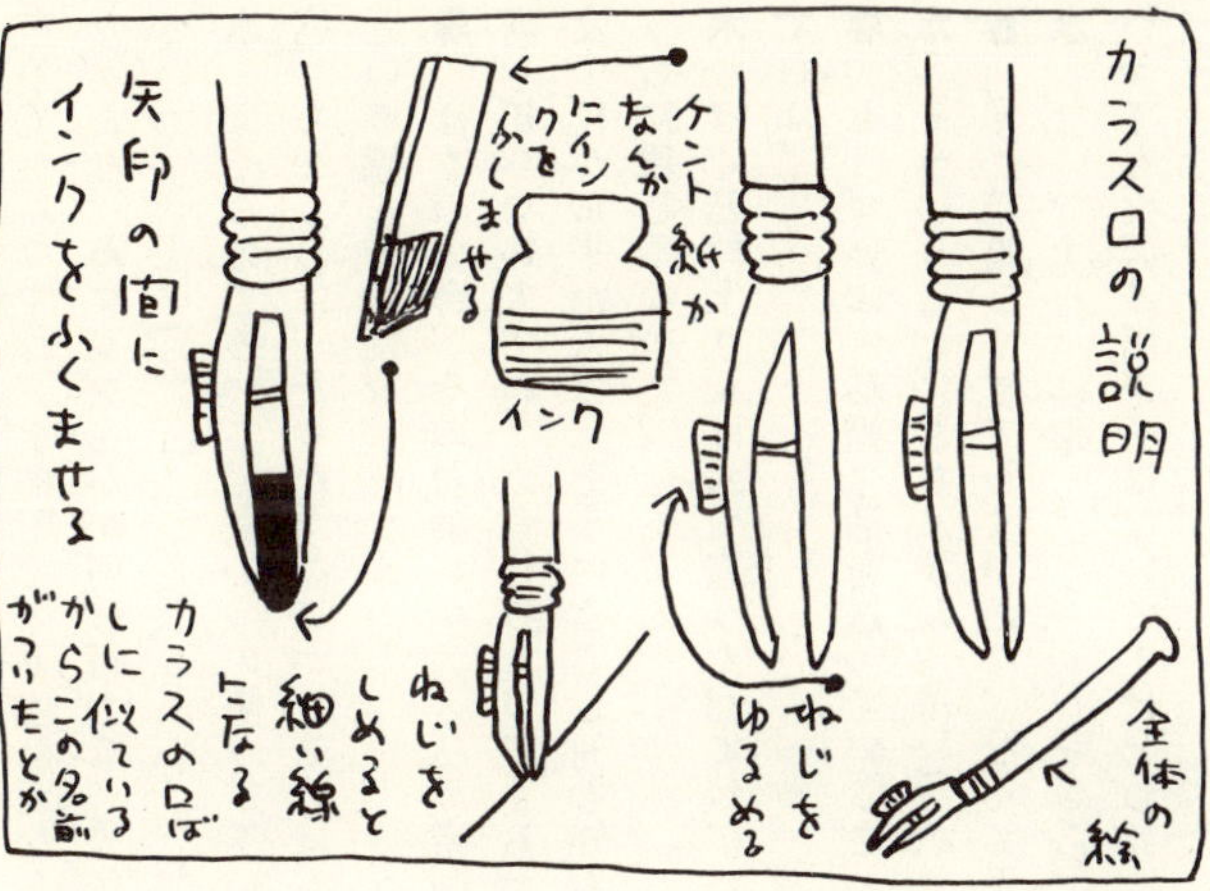
カラス口の説明
全体の絵
ねじをゆるめる
ケント紙かなんかにインクをふくませる
インク
ねじをしめると細い線となる
カラスの口ばしに似ているからこの名前がついたとか
矢印の間にインクをふくませる

で、同時に店を持った。

水　たしか国分寺《こくぶんじ》の、ジャズを聴ける店ですね。

春　安西さんのところはどういうきっかけで知り合ったんですか？

水　話すと長くなるから（笑い）。

春　でも聞きたいですね。

水　ぼくは日大の芸術学部でグラフィックデザインを勉強してたんです。家は建築の設計会社をやってまして、建築科あたりに行くのが普通なんだけど、グラフィックをやってた。うしろめたい気持もあって、夜、専門学校でインテリア・デザインの勉強をしていた。そこで偶然、隣り合わせて話をしたのがきっかけ。カラス口（製図用具）かなんかをぼくが忘れて、それを借りたんですよ。

春　そういえばぼくも、最初の授業で隣りに座ってたんですね。早稲田《わせだ》で、専攻は別なんだけど同じクラスだった。クラス討論してたんだったな。革マルなんかが前に行って「先生、今日は討論をやるから授業をなしにしてください」。先生は「はい」って帰っちゃうのね。毎日、そんなんでしたね。

水　ぼくらのころって、女の人の隣りが空いててもすぐに座らなかったでしょ。男と女が同席しちゃうのは、たまたまなにか、それはもうどうしようもなくて、しようがないから座るという感じだったな。

春　ぼくの場合、その討論が「アメリカ帝国主義のアジア侵略」というテーマだったわけ。何も知らない人でね、いろいろきいてくるわけね。帝国主義って何？　って。カトリックの女子校から来た人で、そういうこと何も知らないんだ。ぼくも一応、教えたりしてね。そのうちに親しくなった。

水　ぼくと村上さんは六つ違うんだよね、たしか。ぼくが四十一歳で、村上さんが三十五歳でしょ。

春　もうずいぶん結婚生活を送っていることになる。

水　そういうことになりますね（笑い）。

春　早く結婚しすぎてしまったな、なんて思うことありますか？

水　ないですね。結婚してようとしてまいと、したいことはできるわけだから（笑い）。といってもマズイ出来事はないですけどね。

春　ぼくもいまの結婚で十分におもしろかったと思っている。べつに後悔する気もないですね。このぐらいおもしろい人生はなかったから。でも、すぐに結婚に結びついたわけじゃないんです。ぼくにもつき合っている女のコがいたし、向こうも何のかんので、うまくいくまでにはやっぱり何年かかかるんですね。その間、お互いに好きなことをやってて、しかるのちにくっつくという話ですね。二年生ぐらいまでは普通に友だちという感じでつき合ってた。

水　ぼくにも、つき合っていたコがいて、うまくいかなくなっちゃったというか。そういうときに知り合ったんですね。カラス口で（笑い）。向こうは働いていたんです。専門学校の帰りにお茶飲んだりするとごちそうしてくれたりするわけ。あ、こういう感じもいいな、なんてね。わりと本なんか読んでる人で、映画とかも好きな人だったし。

春　最近、若い人の雑誌をみてて思うんだけど、いまの若い人ってお金がないとあんまりおもしろくないみたいな気がする。そうでもない？　わりにいいもの着て、車でもないとうまくいかないという感じがあるでしょう。

水　あるね。湘南《しょうなん》なんか、車がなかったら誘えない。東横線で行けないものね（笑い）。

春　ぼくらの若いころは、べつにお金がなくてもつまんなくなかった。恥ずかしくもないし、あるほうが異常だというか。

水　とにかくふたりでコーヒーを飲むお金があって、たまに映画なんかみにいったら最高のぜいたくでね。すごく楽しかった。だいたい、道を歩いているだけで楽しかったですよ。

春　お金のこと考えたのは、結婚してからかな（笑い）。店を出すのに借金したんです。五百万ぐらいお金がかかって、女房とふたりでアルバイトして二百万ぐらいは持ってたんです。それからあと銀行で借りて。いくらだったかな。二百五十万ぐらいかな。計算合わないな（笑い）。でもとにかく、残りは借金。

水　ぼくも借りた。ぼくは世間知らずだから結婚したら家を持っていなくちゃいけないと思いこんでてね。不動産屋にあちこちみせてもらううちに、買わなきゃいけないみたいな感じになっちゃった。うちが都心だったから雑木林のあるところがいいとか思ってね。井の頭《いのかしら》公園の近くに買っちゃった。三百五十万だったかな。一九六五年です。銀行から百七十万、借りた。ふたりで働いてたから、ちょこちょこ返してると返せるのね。

春　そう。借金は非常にいい。

水　がんばるからね。

春　連帯感みたいなものが出てくるんですね。

水　そう考えると、やっぱり早く結婚してよかったということになる。なんか一生懸命、学生結婚のいい点をみつけあう対談みたいだな（笑い）。

春　結局、助走が長かったから結婚しても非常にラクですよね。

水　恋愛って、どっちかが先に突っ走るとたいてい失敗するでしょう。男のほうが最初すごく熱を上げると、女のほうが変に自信を持っちゃう。逆に女の人が夢中になると、男のほう

が余裕を持ちすぎちゃう。同じくらいの速度でずっといかないとね。好きさかげんが同じくらいで、だんだんよくなっていくというのがいい。

春　ぼくは早く結婚したいという気持が強かった。というのは、ぼくはひとりっ子なんですね。家にはいつも親とか、そういう人しかいなくて、つねに従属的でしょう。早く自分の世界を持ちたいと思っていた。それと相手次第だね。この人なら大丈夫という確信があれば、三十で結婚しようが二十一で結婚しようが関係ない。迷うと、よけいに迷いが生じる。

水　逆に女の人が若いときに結婚しようと思うと大変かもしれない。相手の男がその先、どうなるかわからないでしょ。ぼくなんかは女のきょうだいが圧倒的に多かった。変ないい方だけど女の人がそばにいないとだめみたいなところもちょっとあるのね。これはという人が出てくると、ああこの人が一緒にいてくれるときっとうまくいくんじゃないかなと、そういうふうに自然に思っちゃうんです。

春　よく、男は晩婚がいいという人がいるでしょう。独身のうちにいろいろな女性と知り合ったりできるわけだし。でもね、冷静に考えると、そういう起こるべきことの量というのは一定なんですよ。独身だったから女関係が増えるとか、そういうことはないと思う。

水　かえって結婚なんかしているほうが、する機会があるんじゃないですか。

春　あんまりそういうことをいうとヤバイんじゃない（笑い）。

水　最近は、カラい大根ってあんまりないですね（笑い）。

春　うん。みんな青首の丸い味のになっちゃった。

水　ト、話題を変えたところで、また別の話しようか（笑い）。

春　長い結婚生活だけど、ぼくはお互いに変ったという気がしないんですよ。

水　旅行に行ったりとかコーヒーを飲んだりとか、そういうときの楽しさは変らない。

春　男のほうが人生をあきらめてこの程度でボチボチやろうと思ったり、家庭なんていうのはこの程度だと思ったりするとそれでおしまいじゃないかって思うんですね。ぼくらのところは互いに対等だという緊張感があるし、ばかにされたくないというのもある。

水　多少、変ったにしてもそれはそれなりに理解していくという気持が男のほうにあればいい。人間なんて、いつまでも相手が気に入るような感じでいられるわけじゃないから。

春 生活していくなかでの緊張感は自分で作るもんだと思うんです。スリルというかな。これは独身でも結婚していても同じじゃないかな。

水 疲れるけどね。でも、家のなかでの格好《かっこう》のつけかたというのもおもしろいと思う。何も気をつかわずに生きるってことは、あまりよくない気がするね。

春 たとえばね、うちにいてもだらしない格好はぜったいにしないですよ。いつもきちんとした格好をしている。それがもう習慣なんです。

水 よく会社づとめの人が、うちへ帰るとテレビ見て寝るだけだという。ぼくはサラリーマンをしていたことがあるけれどそういうことはしたことがない。

春 ぼくはまず、女房が話をしていれば聞きますね。その感想はいう。風呂《ふろ》あがりにパンツ一枚でいつまでもゴロゴロするとか、そういうことはしない。朝、必ず、ひげをそる。細かいことだけど、人前でおならをしないとか。その程度のこと、基本的なことなんですよ。作ってもらった食事がおいしかったら「ごちそうさま」というとか、向こうが作ればこっちが茶わんを洗うとか。自分の身の周りのものは自分できちんと整頓《せいとん》しておくとか、自分のものは自分でアイロンかけるとか。それから……何だ、何の話をしているんだ(笑い)。

水 ちょっと違うけど、基本的には同じだな、ぼくのところも。

春 ぼくの場合、子どもの延長みたいなものだから、互いにきちっとルールを作ってやっていかないといけないという気持がある。ぼくらの若いころはアイビー全盛でVANジャケットの時代ですよね。格好つけてるわけでしょう。結婚しても、やはりある程度、格好つけなきゃいけないという感じがあるんですね。ジョギングするときも、家に入る前にきちんと呼吸をととのえる。汗もふいてね（笑い）。

水 お互いによくわかりあってはいるんだけど、でもまだ、未知の部分があるかもしれないという緊張感。それがなくなっちゃうとデレーッとしちゃうでしょう。

春 ぼくの住んでいる町は、ほとんどサラリーマン家庭なんですよ。昼間は女だけの町。見ているとガッカリするのね。本当にだらしない格好してる。ダラーッとして。ツッカケはいて生理ナプキンをバーゲンでこんなにかかえて。何か、力抜いて生きてるなという気がする。

水 それはまずいですね。きちっとした人は、やっぱりいい顔をして買い物してるもんね。年とっていてもちょっと素敵な女性っているでしょう。ああいう人は、必ず自分なりに何かやってますね。

春 自分の生活スタイルというのは自分で作るしかしようがないですね。といっても二十代前半は無我夢中で、あとはがんばって年をとっていくもので……。時間がかかるけど、遠回りのようでそれがいちばん確実なんですよね。今日は、ずいぶんまじめな話になっちゃった（笑い）。

水 いまの若い女のコと知り合った場合——仮定の話なんだけどね——うまく対応していけ

ると思う？

春　うん。自信ある。時代は変るけど、人間の容量は変らないと思うから。傾向は変っても基本は変らない。以前、青学《あおがく》を取材したことがあって、おもしろかったのは、あそこはすごく現実的だということ。たとえば車がなくちゃいけない、就職は一流の会社じゃないといけないとか、そういうところが先にきちゃう人が多い。ぼくはそういう人とはつき合わないだろうと思う。結婚というところまではね（笑い）。

水　そういう女のコも、好きになったら相手の男にそういうことはいわないと思うけどね。甘いかな、そういう考えかたは。

春　いまはある種の閉塞《へいそく》状況があるでしょ。ぼくらのころは高度成長があって、とりあえずお金がなくてもがんばればもっと金持ちになれるとか、有名になれるとか。いまはそれがない。いまの男のコは先を見てめげちゃう部分があるね。女のコはそういうのを敏感に感じているから、それだったら金があるとか、才能があるとか、頭がいいとか、学歴があるほうにいっちゃう。

水　なるほど。ぼくなんか素直に女性を見るのにね。美人とかそういうことじゃなくて、なんとなくいいなあと思うような顔つきの人は、わりと芯《しん》もつよかったり、話をしてもおもしろかったり、性格もよかったりとか。見た感じでわかりますね。

春　ぼくもどっちかというといわゆる美人というのは好きじゃない。わりにこういう感じは好みであるというあたりが好きなんですね。このテの顔は、ぼくにしか正当に評価できないという感じがあると、いいわけですね。

水　うん。たぶんこのよさはほかの人にはわからないだろうなという、そういう魅力を持った人っていますね。村上さんは、あの小説に出てくるような洒落《しゃれ》た会話で……？

春　いや、全然。ぼく、車に乗らないから電車でしょう。ときどき、声をかけられたりするんですよ。あれがダメなんですね、ぼくは。だから電車にもあまり乗らなくなってしまった。家の近くを散歩したりするくらいで、あまり街なかに出てきませんから。あとは買い物をして帰ってきて、酒飲んでレコード聴いているというパターン。安西さんはいま、青山でしょう。

水　道ですれちがっても、あっ、かわいいコだなとか、そういうコがいっぱいいますからね。

春　いいですね。

水　どうしたら話ができるんだろうとか、毎日、思っていますね。

春　思うだけで……。

水　たとえば、村上さんが連れてきた女のコがいて、そこで紹介されて、何日かして電話がかかってきて今夜遊びにいっていいですかなんて、そういう感じだったら自然と友だちになれるでしょう。そうじゃないと、ただ歩いてて、あっかわいいなと思っただけじゃどうしようもできないものね。だれか男の友だちがいるんだろうなと思うと非常にくやしいしね（笑い)。

春　じゃ、今度カフェバーなんか行ってやりますか、一回。

水　いいですね。

付録(1)　カレーライスの話

文・安西水丸
画・村上春樹

ぼくはカレーライスが好きなのでよく食べる。一週間に三回は食べている。何時《いつ》の頃《ころ》からカレーライスを好きになったのかわからないけれど、子供の頃暮していた千《ち》倉《くら》にいた頃からすでに好きだったようだ。

千倉は千葉県の房総半島の南端にある海辺の町で、ぼくは三歳くらいの頃から中学を卒業するくらいまで母と二人で暮していた。

ぼくが子供の頃この町には肉屋さんというのがなくて、肉というのは東京にいた姉たちが時々遊びに千倉に来る時に持ってきてくれるといった感じだった。

ぼくは肉はきらいだった。

母は肉を食べないぼくになんとか肉を食べさせようとしてカレーライスを思いついたのではないかと思っている。カレーライスの時だけはぼくも肉を食べた。それでもどちらかといえば千倉の海でとれるサザエやトコブシ、カサ貝などで作るカレーライスの方が圧倒的においしかった。

どうもカレーライスは子供が初めて中毒におちいる食べ物のようで、自分の言うなりにならない女をシャブ漬《づ》けにするヤクザみたいに、肉を食べないぼくは母親によってカレーライ

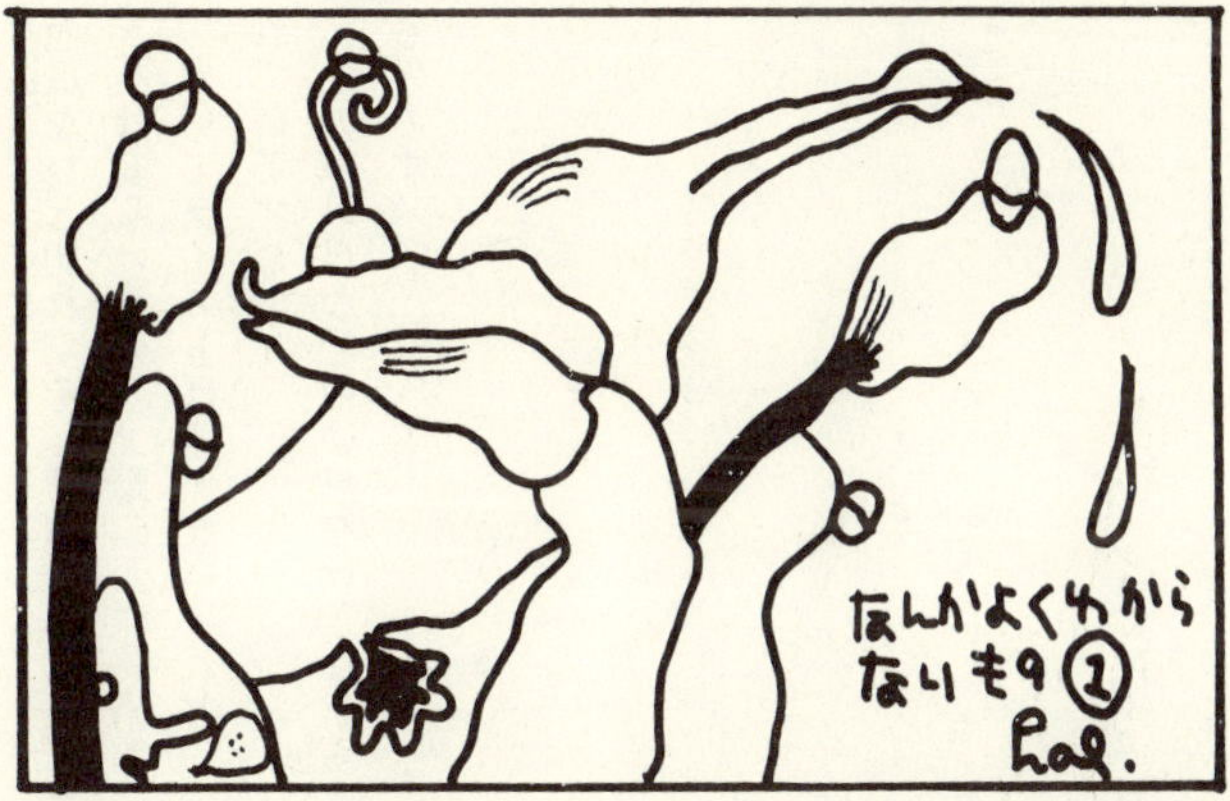

ス中毒にされてしまった。中毒状態は四十年もぼくの肉体をむしばみ時折り禁断症状に苦しみ、冷汗をかきながら新宿中村屋などにとびこんだりしている昨今である。

もう十年ほど前になるけれど、ヨーロッパを転々と旅したことがあって、この時も例の禁断症状におそわれ、もしかしたら飛行機をエアー・インディアにすれば機内食にカレーライスがでるのではないかと思い、予約していたTWAの飛行機をキャンセルしてエアー・インディアのカウンターに冷汗でとびこんだことがあった。機内にはたしかにカレーライスはあったけれど、日本で食べていたものとはまったくちがった味をしており、なんか気持わるくなってきて薬と水をもらって眠ってしまった。

ぼくにもしも最後の晩餐《ばんさん》がゆるされるのだったら迷うことなく注文する。カレーライス、赤い西瓜《すいか》をひと切れ、そして冷たい水をグラスで一杯。

話は変るけれど、上野の西洋美術館にカレーの市民というロダン作の彫刻がある。カレーライスとは関係ないけれど、この彫刻はどの角度から見ても一分の隙《すき》もなく構成されていてすごい。

冬の寒い日など白い息をはきながらこの彫刻のまわりをゆっくりまわったりするのはいいものです。

付録(2)　東京の街から都電のなくなるちょっと前の話

文・安西水丸
画・村上春樹

東京の街から都電が何時《いつ》の頃《ころ》なくなったのだろうか。

調べればすぐにわかることだろうけれど、ぼくにはなんとなくある朝通りに出たら都電が東京の街から消えてしまっていた、といった感じが好きで、そんなふうに思うことにしている。

ぼくは高校時代、赤坂から九段にある私立高校に都電で通っていた。春の桜の季節の三宅《みやけ》坂《ざか》あたりから九段上あたりまでの桜はみごととしか言いようのない美しさだった。風が吹くと舞い散る桜の花びらが走っている都電の中にまでとびこんできて、同じ電車に乗り合わせている女学生なんかの髪についたりして、そんな感じも仲々良かった。

ぼくは友だちの家に遊びに行く時も、デパートや映画に行く時もほとんど都電を利用していた。先日イラストレーションの年鑑の仕事で横尾《よこお》忠則《ただのり》さんに会った。横尾さんと口をきくのはもちろんはじめてのことで、なんとなく緊張して何を話していいのかわからなかった。

実はまだ学生だった頃。

今の銀座のソニービルのあたりを地下鉄では西銀座、都電では数寄屋《すきや》橋と呼んでいた頃、17というナンバーの都電がその数寄屋橋から後楽園を通って池袋まで走っていた。ぼくが銀

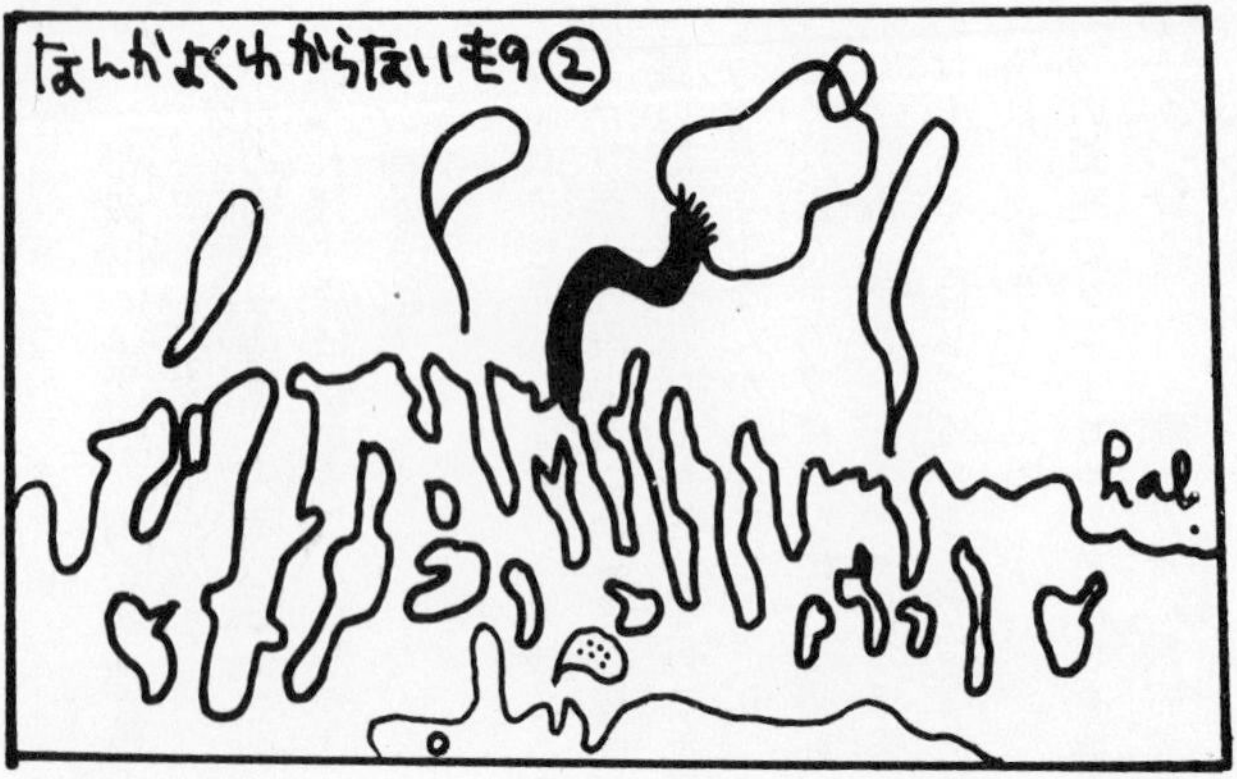

座をブラブラして数寄屋橋まで歩いてきた時、17番の都電の窓から短い髪のワイシャツ姿の青年がもの憂《う》げに外を見ており、それが雑誌などでよく見かけていた横尾忠則さんだった。それでその話を横尾さんにすると、横尾さんは「そうですか」とひと言いって、あの独特なテレ笑いをしていた。

最近赤坂のあたりを歩くと、一《ひと》ツ木《ぎ》通りなどのあまりの変貌《へんぼう》に唖然《あぜん》とするのだけれど、あの町にはぼくが大学生の頃は喫茶店がひとつしかなかった。名前は〈みつる〉といってなんとなくゲイバーみたいな名前だったけれど、なにしろひとつしかなかったので、友だちなどと秘密めいた話をする時にはよくその〈みつる〉にいった。

ＴＢＳもまだ今みたいにナバロンの要塞《ようさい》みたいではなく、九十九里浜のトーチカといった感じで、それでも小さなテレビ塔が建物についていた。それよりもＴＢＳの丘からはできたてのピカピカの東京タワーが東京みやげの飾り物のように見えたのがなつかしい。映画「ゴジラ」にもたしかそのピカピカの東京タワーは出ていたと思ったけれど……。

東京の街から都電がなくなるちょっと前の話です。

あとがき

あとがきといっても、書きたいことは本文の方であらかた書いちゃったもので、とくにあらためてどうのこうのというほどのこともない。しかしまあとにかく、これは僕《ぼく》にとってのはじめての雑文集のようなものであって、本文中にもあるように、「日刊アルバイトニュース」に一年九カ月にわたって連載したコラムを集成したものです。

しかし「日刊アルバイトニュース」に連載を持っていたからといっても、あの「日刊アルバイトニュース」のCMに出てきたハルキくんという名前のお地蔵さんと僕とはまったくの無関係です。一応誤解のないようにお断りしておきます。

それはそうと「日刊アルバイトニュース」という会社はだいたい昼飯どきにCMタイムを持っているみたいだけど、あれはどうしてだろう？　FM放送でもお昼の十二時からの番組を提供しているし、気をつけて見ているとそば屋のTVでもときどきCMを目にする。

僕が考えるにはあれは仕事のない人がお昼前にもぞもぞと起きだしてきて歯をみがき（あるいは歯なんかみがかずに）、そのままそば屋に行ってTVを見ながらザルソバの大盛をずるずると食べたり、台所でお湯をわかしてFM放送を聴きながらインスタント・ラーメンを

村上朝日堂

すすったりしているときに、「そんなことしてちゃいかん。ちゃんと働きなさい」というメッセージを送ろうとしているのではないだろうか？　たしかにヤクザな生活をつづけて、昼前に目をさまし、一人でぼそぼそと食べる昼食というのは、あれはムナシイものである。太陽はチカチカするし、まわりを見まわしても働いている人の姿ばかりだしね。そういうときに「日刊アルバイトニュース」のCMが流れたりすると「いっちょう心を入れかえてバイトでもしてみるか」という気分にならないでもない。

もしそういう理由で「日刊アルバイトニュース」のCMがお昼どきに流れているのだとしたら、これはなかなか鋭いことだと思う。「日刊アルバイトニュース」の宣伝の人は偉いと思う。おい、山口昌弘、読んでるか？　君のことをほめているんだぞ。

僕は本文中ではっきりと山口昌弘のことを悪く書いたけど、べつに悪意があったわけではないし、そのことで山口くんが重役に呼ばれて厳しく注意されたことについては本当に申しわけなく思っている。

それから本文中に「最近バレンタイン・デーにチョコレートがひとつももらえなくて、切干し大根を作って食べている」という文章を書いたら、それ以来このコラムを担当してくれた山崎さんと清水さんという二人の女の子からチョコレートをいただくようになって、請求したみたいですみません。安西水丸さんは人の顔を見るといつも「作家は女の子にもてていいよねえ」と言うけど、そんなことはないのだ。それに僕の女房《にょうぼう》にまで「いや奥さん、作家というのは女の子にもてるから心配でしょう?」なんて言わないでほしい。ああいうこと言われるとあとに尾を引くんだから。

以上

一九八四年六月

村上春樹

この作品は昭和五十九年七月若林出版企画より刊行された。

文字づかいについて

新潮文庫の日本文学の文字表記については、原文を尊重するという見地に立ち、次のように方針を定めた。

一、口語文の作品は、旧仮名づかいで書かれているものは新仮名づかいに改める。
二、文語文の作品は旧仮名づかいのままとする。
三、常用漢字表、人名用漢字別表に掲げられている漢字は、原則として新字体を使用する。
四、年少の読者をも考慮し、難読と思われる漢字や固有名詞・専門語等にはなるべく振仮名をつける。

村上春樹著
雨天炎天
―ギリシャ・トルコ辺境紀行―
ギリシャ正教の聖地アトスをひたすら歩くギリシャ編。一転、四駆を駆ってトルコ一周の旅へ――。タフでワイルドな冒険旅行！

村上春樹著
村上朝日堂 はいほー！
本書を一読すれば、誰でも村上ワールドの仲間になれます。安西水丸画伯のイラスト入りで贈る、村上春樹のエッセンス、全31編！

S・キング
永井淳訳
キャリー
狂信的な母を持つ風変りな娘――周囲の残酷な悪意に対抗するキャリーの精神は、やがてバランスを崩して……。超心理学の恐怖小説。

サリンジャー
野崎孝訳
ナイン・ストーリーズ
はかない理想と暴虐な現実との間にはさまれて、抜き差しならなくなった人々の姿を描き、鋭い感覚と豊かなイメージで造る九つの物語。

フィッツジェラルド
野崎孝訳
グレート・ギャツビー
豪奢な邸宅、週末ごとの盛大なパーティ……絢爛たる栄光に包まれながら、失われた愛を求めてひたむきに生きた謎の男の悲劇的生涯。

フォークナー
加島祥造訳
サンクチュアリ
ミシシッピー州の町に展開する醜悪陰惨な場面――ドライブ中の事故から始まった、女子大生をめぐる異常な性的事件を描く問題作。

村《むら》上《かみ》朝《あさ》日《ひ》堂《どう》

新潮文庫　む－５－２

昭和六十二年二月二十五日　発行
平成十六年二月二十五日　三十七刷

著者　村《むら》上《かみ》春《はる》樹《き》　安《あん》西《ざい》水《みず》丸《まる》

発行者　佐藤隆信

発行所　株式会社新潮社

郵便番号　一六二―八七一一
東京都新宿区矢来町七一
電話　編集部(〇三)三二六六―五四四〇
　　　読者係(〇三)三二六六―五一一一
http://www.shinchosha.co.jp

価格はカバーに表示してあります。

乱丁・落丁本は、ご面倒ですが小社読者係宛ご送付ください。送料小社負担にてお取替えいたします。

印刷・東洋印刷株式会社　製本・株式会社大進堂

ISBN4-10-100132-4 C0195